천일의 여황제

1권 세빈의 남자

천일의 여황제 1권 세빈의 남자

발　행 | 2023년 11월 28일
저　자 | 남킹
펴낸이 | 한건희
펴낸곳 | 주식회사 부크크
출판사등록 | 2014.07.15.(제2014-16호)
주　소 | 서울특별시 금천구 가산디지털1로 119 SK트윈타워 A동 305호
전　화 | 1670-8316
이메일 | info@bookk.co.kr

ISBN | 979-11-410-5548-6

천일의 여황제

1권 세빈의 남자

남킹 지음

목차

마르 데페스에게 이 책을 바칩니다.

1. 세빈

대(大)나라의 요식이 황제에 오를 때 그의 나이는 불과 네 살이었다. 그러므로 섭정이 불가피하였다. 대신들은 황제의 섭정으로 요식의 친어머니인 어순 부인을 옹립하였으나, 그녀는 황제 즉위 2년 만에 원인을 알 수 없는 병으로 사망하였다. 그리하여 요식의 숙부인 걸창군이 섭정을 맡았으니, 그 해는 대나라가 천하를 통일하고 맞이하는 999년째 되는 용불연이었다. 하지만 이듬해, 음란죄로 쫓겨났던, 전 황제의 후궁인 세빈이 일곱 동생의 도움을 받아 쿠테타에 성공하였으니, 결국 대나라는 역사 속으로 사라지고 세(世)나라가 개국을 하였다.

세나라의 황제로 등극한 세빈은 우선, 궁에 남아있던 모든 대신과 시중을 참수하고, 각 고을에 명하여, 세나라에 반감을 보이는 모든 선비와 관료를 변방의 전쟁터로 보내 죽게 하였다. 그리고 세나라의 땅을 일곱 등분 하여 그녀의 동생들이 다스리게 하였으니, 바야흐로 칠국 일황의 시대가 열렸다.

세빈의 이름은 자안으로 미천한 출신의 사생아였다. 일곱 살이 될 때까지 동네 장터를 떠돌며 동냥을 하거나 궂은 심부름을 하며 목숨을 유지하다가, 그때 당시 또래 여아들이 주로 팔려 가는 서커스 악단에 자발적으로 들어가 노래와 춤을 배웠다. 그녀는 특히 노래를 잘 불렀는데, 이 소문이 금방 퍼져 지나는 마을마다 그녀를 보러 구경꾼들이 몰려들었다. 그러던 어느 날 당대 권세가로 이름을 떨치던 화방의 집에 초청받아, 달 밝은 밤, 대청마루에서 풍악의 장단에 맞추어 그녀가 노래를 부르니, 하방의 징님인, 구빈이 삼농하여 그녀를 수양딸로 입적을 하였다. 그때 그녀의 나이 16살이었고 구뷘의 일곱 아들들보다 나이가 많았다.

구뷘은 비록 권세가의 집안 출신이었으나, 북쪽 지방의 토벌 대장으로 주로 외지만 떠도는 것에 불만이 있었고 야망이 큰 인물로, 그는 자기 딸을 황제의 첩으로 바쳤다. 세빈의 나이 스물이었다. 세빈의 노래 실력은 이미 장안의 화제였으므로 황제는 그녀를 기쁜 마음으로 품었으며, 한동안 매일 그녀의 노래 속에서 잠들었다. 하지만 다른 후궁에 비해 미색이 떨어지는 데다, 이듬해부터 줄줄이 낳은 세 명의 자식이 모두 딸이었고, 차츰 노래에도 싫증이 난 황제는 그녀를 멀리하게 되었다. 어느덧 10년의 세월이 흘렀고, 이제 세빈은 궁궐의 말단, 소박한 처소에서 잊힌 후궁으로 전락하고 말았다. 그때부터 그녀의 기행이 시작되었다.

그녀는 밤이 어스름해지기 시작하면 시종을 불러 장안의 남정네 중 골격이 튼튼하고 힘깨나 쓸만한 평민을 잡아다가 동침을 하고는 그들에게 침묵을 강요한 뒤, 돌려보냈다. 만약 이에 수긍하지 않을 것 같거나 입이 가볍다고 판단이 되면 은밀하게 죽이기까지 하였다. 그렇게 또 다른 10년이 흘러갔다. 아무리 뒷방의 잊힌 후궁이라고는 하지만 오랜 세월 이어진 이 괴상한 짓거리가 소문이 안날 수가 없는 법, 이 사실을 확인한 황제는 크게 분노하여 그녀와 그녀의 양아버지인 구뷘, 일곱 아들까지 모두 변방으로 귀양을 보내 버렸다. 황제는 사실 그녀를 죽이라고 명하였으나, 화방의 권세가 하늘을 찔렀으므로, 결국 대신들의 의견을 들어 그녀의 목숨만은 살려두었다. 이것이 화근이었다. 그때 만약, 그녀를 죽였다면 대나라는 멸망하지 않았으며 후에 <천일의 여황제>로 알려지게 되는 세빈의 역사는 존재하지도 않았을 것이다.

변방으로 쫓겨났다고는 하나, 구뷘은 용맹한 장수로 그를 따르는 군사들이 많았으며, 세빈은 일곱 동생의 정신적 지주로, 그들을 이용하여 영악한 계책을 세웠으니, 대나라 황제 섭정인 어순 부인을 시종을 시켜 독살하고, 황제의 숙부인 걸창군이 어순 부인을 죽였다는 헛소문을 퍼트렸다. 이에 전국 토호 세력이 진상규명을 외치며 들고 일어나자, 구뷘은 그들을 결집하여 한양으로 진격하였으며, 이에 맞추어 수도에 은밀히 들어와 있던 세빈이 일곱 동생의 군대와 함께, 수도군 방위사령관을 협박 및 회유를 하여, 결국 걸창군을 체포하여 죽이고 쿠데타를 완성하였다. 이듬해 국명을 세나라로 명하고 황제에 세빈이 등극하니 이 땅의 역사에 가장 어둡고 기이한 나라가 탄생하였다. 이를 두고 후세의 역사학자들은 한결같이 어둠이 광명을 집어삼키고 정의가 불의에 무릎 꿇은 <쇠락의 시대>로 정의하였다.

****

세나라의 황제는 개국하자마자, 수도를 대륙의 정중앙, 벌륜으로 정하고, 백만 평에 달하는 토지에 속한 모든 언덕과 토지를 갈아엎고 20만 평 규모의 궁궐을 지었다. 궁궐을 둘러싼 방벽은 모두 일곱 겹으로, 방벽 사이에는 깊은 수로를 파고 물을 채웠으며 수백 마리의 악어를 집어넣었다. 그리고 동서남북으로 100km에 달하는 8개의 도로와 수로를 각각 건설하였다. 그리하여 일곱 형제가 다스리는 일곱 개의 속국인 정, 을, 이, 병, 마, 횡, 준나라가 수도를 둘러싼 형태를 갖추었다. 이는 외부 세력의 어떤 침공에도 가장 안전하게 국권을 수호하고자 하는 계략에서 나온 것이었다. 다만 이 모든 공사를 진행하기 위해, 전국에서 수십만의 백성이 강제로 끌려와서 매일 수백의 생명이 사라졌으니, 그 원성이 하늘을 찌르고도 남았다.

한편, 구뷘은 이때쯤, 감정이 매일 오르락내리락하며, 심술이 났다가 주저앉는 듯, 그 심란한 마음이 그야말로 뒤죽박죽이었다. 그의 양녀가 황제가 되고 일곱 아들이 왕으로 등극하였으므로 외적으로는 더할 나위 없이 흡족한 상황이었으나, 자신이 애초부터 개국에 제외되어 뒷방 늙은이로 전락하였으니 심기가 좋지만은 않았다. 틀림없이 전국의 세력가들을 설득하고 규합하여 군대를 일으킨 것은 자신이었으나, 그가 무리를 이끌고 수도에 도착하기 전에 이미 모든 상황이 손쉽게 정리되고, 일사천리로 개국을 하면서, 그는 결국 군을 해산하고 돌아갈 수밖에 없었다. 그는 이제 하늘 아래 무소불위 권력가의 수장이지만, 실상은 무늬만 그런 것이지, 국정 참여도 배제된 상태였다. 게다가 그의 혈육인 일곱 자식 중 하나가 황제가 아니라 양녀가 그 자리를 차지하고 있다는 사실이 꽤 마음을 무겁게 만들었다.

그는 어느 날, 일곱 나라를 차례대로 방문하는 사절단을 만들어, 길을 나서게 되었다. 그의 표면적 방문 목적은 황제의 친서를 전달하고, 부자의 정을 돈독히 하자는 것이지만, 내심 아들의 심중을 파악하고 혹시 그중에 황제에 대한 불만이 있는 자라면, 후일을 도모하기 위한 발판을 마련하고자 함이었다. 그렇게 그는 약 일 년에 걸쳐 그의 모든 아들을 만났고, 그중에 다섯째인 마석이 야망이 매우 크다는 것을 발견하였다. 그리하여 오랫동안, 구번과 마석은 내밀한 연락을 주고받으며 그들의 군사를 키워나갔다.

한편, 세상의 모든 권력을 한 손에 쥐게 된 황제는, 제버릇 개 못 준다고, 또다시 그녀의 밤을 채울 사내들을 찾기 시작했다. 하지만 이번에는 하늘 아래 무서울 게 하나 없는지라, 아예 대 놓고 그 짓거리를 하였다. 그녀는 우선, <기쁨조>라는 황제 직속 기관을 신설하고, 전국에 모집원을 보내 신체 건장하고 잘생긴 꽃미남 청년들을 뽑아 데려오도록 하였다. 선발된 이들은 궁궐에서 가장 화려한 혜월당에 몇 달 동안 기거하며 각종 안무와 기교, 예절을 연마하고 정력에 좋은 각종 산해진미를 강제로 섭취하였다. 그리하여 때가 되면, 황제의 부름을 받고 동침을 하게 되는데, 만약 황제가 만족하지 못하게 되면 그날로 처형을 당했다. 그런데 문제는, 황제의 본모습이 변태에 사이코패스의 전형인지라, 그녀는 점점 피의 맛에 물들고 만족도는 턱없이 높아져, 그녀와 하룻밤을 보낸 거의 모든 청년이 형장의 이슬로 사라졌다. 그리하여 기쁨조의 모집원들은 전국을 돌며 더욱 악랄하게 청년들을 수배하기 시작했다. 그러자 웬만한 청년들은 살기 위하여 서둘러 장가를 가거나 국외로 도주하였으며, 재수 없게 모집원들에게 적발이 되면 엄청난 양의 돈으로 모집원들을 매수하는 사태도 일파만파 늘어났다. 어떤 이들은 자기 얼굴을 일부러 훼손하기도 하고 중요 부위를 절단하여 스스로 불구가 되기도 하였다.

마나라의 주도 횡택에 사는 정현도 일찌감치 이러한 소식을 접한 터라 하루하루를 살얼음을 걸으며 살고 있었다. 그는 시각장애인인 노모와 함께 외딴곳에 살고 있었는데, 워낙 찢어지게 가난한지라, 풍채 좋고 수려한 외모에도 불구하고, 나이 서른이 될 때까지 장가는 엄두도 못 낼 형국이었다. 그러므로 그저 모집원이 마을에 나타나지 않기만을 기도하며 하루하루를 불안에 보내고 있었다.

2. 정현

정현의 집안은 사실 몰락한 귀족 가문이었다. 그의 증조부는 대나라 외신의 총감부 수장으로 각국 사절단을 접견하고 통역을 담당하였다. 그는 이웃 나라들의 언어를 모두 이해하고 자유자재로 구사하였으며, 저 멀리 서역의 말과 글도 상당수 이해하는 수재였다. 그때 당시 대나라는 <세상의 중심>이라고 스스로 자부할 정도로, 광활한 영토를 통치하였고 정치, 문화, 예술 등 여러 방면에서 주변 국가를 선도하였다. 그러므로 외국 사절단의 왕래가 무척 잦았다. 그는 대나라 외교의 중심으로, 각종 행사를 주관하고 주요 회의에 참여하여 원활한 소통을 이끌었으며, 사교에서도 뛰어난 수완을 보여 대나라를 세상에 알리는 데 크게 이바지하였다.

덕분에 정현은 그의 나이 열여섯이 될 때까지 궁궐이 내다보이는 넓은 저택에서 풍족하고 행복한 유년 시절을 보냈다. 증조부의 직책은 대물림되어 그의 아버지, 이숙도 외교부의 중요 직책을 수행하였다. 그러므로 정현에게도, 일찍부터 그가 받게 될 직책에 합당한 공부를 하였는데, 바로 다른 나라 언어와 관습, 역사에 관한 것이었다. 그는 또한, 이미 5,000년 전에 멸종한 고대 종족의 언어도 익혔다. 왜냐하면 현대 언어 대부분이 고대어에서 유래하였으며, 여전히 고대어와 유사한 말을 하는 지역이 세상 곳곳에 존재하였다. 또한, 고고학적으로도 꽤 유용하였는데, 이 땅의 많은 곳에서 고대 유물이 끝없이 발굴되었기 때문이었다. 정현의 집안은 외교적 통역뿐만 아니라 고고학적 유물의 번역에도 상당히 깊이 관여하고 있었다.

사실, 정현 가문의 갑작스러운 몰락은 이 고대 유물과

밀접한 관련이 있었다. 어느 날, 정현의 아버지 이숙은 고고학 발굴 관장으로부터 상자 한 통을 받았다. 그동안 이숙은 발굴한 문서와 서책의 번역에 많은 도움을 주었는데, 그에 대한 감사의 표시로 받은 거였다. 그런데 그 상자 속에 담긴 것은 알록달록한 색깔의 알약이었다. 이번 발굴 장소에서 대량으로 나온 것인데, 효과 좋은 진통제 정도로 생각하고 이숙은 받은 거였다. 그런데 발굴팀 소속의 말단 직원이 이 약을 몰래 빼돌려 어느 귀족에게 팔았고, 그 귀족은 이것을 어느 후궁에게 몰래 진상하였다. 그런데 그 후궁이 다음날 즉사를 하고 말았다.

대나라에서 마약은 법으로 엄격히 금하는 물건이었다. 진상팀이 꾸려지고 발굴에 참여했던 관료 대부분이 관직을 박탈당하고 곤장을 맞고 오지로 귀양살이를 떠났다. 이숙에게도 조사가 들어갔는데, 사실 이숙은 상자를 받기는 하였지만, 그것을 열어보지도 않은 채, 창고에 보관 중이었다. 사실 그에게는 외교 관련하여 워낙 많은 선물이 들어오기 때문에, 대부분은 주위 사람들에게 나눠주거나, 기한 깃은 창고에 보관했다가 나라에 바치곤 하였다. 그러므로 이숙은 마약을 받은 사실을 기억하지 못하고 결백을 주장했다. 그런데 창고에서 약상자가 발견된 것이었다. 이숙은 항변하였지만, 물증이 나온 이상 죄를 면하기는 어려웠다.

그는 자기 잘못으로 집안 대대로 쌓아온 청렴한 선비 집안이 불경한 위선자로 몰린 것에 크게 상심하여 자결하고 말았다. 정현의 어머니 또한, 남편의 갑작스러운 죽음에 실성한 채, 거리를 배회하다 자신의 두 눈을 스스로 찔러버렸다. 집안의 식솔들은 화를 면하기 위하여 뿔뿔이 흩어졌다. 결국 노모와 정현만 남아 멀고 먼 외지로 쫓겨나고 말았다. 하지만 정현은 심지가 굳고 태생이 착한 청년이었다. 그는 조용히 노모를 살뜰히 보살폈으며, 비록 살기 위해서 여러 가지 잡일을 해야 하였지만, 공부도 게을리하지 않았다.

그러던 어느 날 마침내 <기쁨조> 모집원이 그에게 나타났다. 그는 어머니가 돌아가실 때까지만 보살피게 해달라고 사정사정하였지만, 그런 게 통할 리가 없었다. 날이 갈수록 청년의 씨가 말라가는 상황이라, 모집원으로서도 정현을 잡아가지 않으면 당장 자기 목이 날아갈 판이었다. 결국, 어머니는 관청이 운영하는 양로원에서 보살피겠다는 약조를 받고, 그는 필요한 물품을 챙겨서 모집원과 함께 수도로 떠났다.

벌륜으로 끌려간 정현은 엄격한 신체검사를 받았는데, 최우수 판정을 받았다. 그리고 혜월당에 감금되었다. 그는 가장 좋은 방으로 배정이 되었는데, 근래에 최우수 판정을 받은 이가 드물기 때문이었다. 그는 이제, 마치 사형날짜를 기다리는 사형수 신세가 되었다. 황제의 부름이 곧 그의 사형집행일이었다.

****

정현은 궁궐에 머문 지 얼마 지나지 않아 세빈의 부름을 받았다. 그도 그럴 것이, 최근에는 쓸만한 총각들 씨가 말라, 그녀의 눈에 하나같이 성에 차지 않는 남자들뿐이었으니, 정현의 등장은 삽시간에 소문이 날 수밖에 없었다. 그는 총감 내시의 안내에 따라, 먼저 욕탕으로 갔다. 그곳에서 온탕과 냉탕을 7회 반복한 다음, 얼굴 홈이 파인 나무 침대에 엎드려 때를 밀었다. 그렇게 30여 분 정도 몸의 모든 때를 구석구석 밀고 나서 온갖 향으로 가득한 밀실에 들어가 향 기름을 발랐다. 몸이 마를 때쯤, 그는 비단으로 짠 잠옷을 걸치고 대기실로 갔다. 그때 정현은 자신이 지니고 다니는 조그마한 주머니에서 파란 알약 하나를 꺼내 삼켰다.

이윽고 밤이 되어, 모든 공사 업무를 마무리하는 타종이 다섯 번 울리고 나자 자그마한 동자 내시가 나타나 정현을 황제의 침실로 이끌었다. 그들은 모두 99개의 작은 문을 거쳐야 했는데, 문을 하나씩 지날 때마다 정현의 가슴은 걱정으로 좁아들었다. 마침내 황제의 침소에 이르렀다. 정현은 큰 절을 세빈에게 올리고 무릎을 꿇은 채 눈을 내리깔았다. 잠시 후, 침소 내시가 다가와 정현에게 속삭였다.

"얼굴을 들어 황제에게 보여라."

정현은 천천히 얼굴을 들었다. 반투명의 명주실 천이 천장에서 길게 내려와 세빈의 얼굴을 가리고 있었다. 세빈의 좌우 옆에는 우락부락하게 생긴 경비관들이 긴 칼을 차고 서 있었고

그녀의 앞에는 화려하기 그지없는 술병과 안주가 담긴 상이 차려져 있었다.

"좀 더 가까이 오너라" 세빈이 다정하면서도 엄숙한 목소리로 말했다. 정현은 무릎으로 한 걸음 한 걸음씩 앞으로 나아갔다. 그런데 그때, 그가 먹은 파란 약의 효과가 나타나기 시작했다. 그의 중요 부위가 점점 커지기 시작했다.

"좀 더 가까이…." 세빈은 답답한 듯, 조급한 목소리로 말했다. 정현은 발기한 모습을 감춘 채, 엉거주춤한 자세로 최대한 힘을 가해 앞으로 나아갔다. 점점 황제에게 가까워지면서 정현은 흘깃흘깃 세빈의 얼굴을 쳐다봤다. 그러면서 속으로 생각했다.

'어떻게 저렇게 못생긴 얼굴로 후궁이 될 수 있었을까?'

세빈 앞에 엎드리고 있는 가장 가까운 시중과 비슷한 지점까지 왔을 때, 갑자기 칼이 정현의 목 가까이 쓱 들어오며 우렁찬 목소리가 울렸다.

"거기까지다. 멈추거라!" 정현은 서슬 퍼런 칼이 눈앞에서 번뜩이자 매우 놀라며 뒤로 물러났다. 그때 그만 그의 변화된 신체 부위가 도드라지게 나타났다. 이 광경을 본 세빈은 아주 만족스러운 표정을 지으며 말했다.

"근래에 보기 드문 놈을 데려왔구나. 이 자를 데려온 모집원에게 큰 상을 내리거라." 그러면서 황제는 고개를 두 번 끄덕거렸다. 그러자 동자 내시가 정현에게 다가와 속삭였다.

"봉축하옵니다. 합격이옵니다. 우선, 황제님께 해가 될 수 있는 어떤 물건도 지닐 수 없으므로 모든 옷을 벗으시기를 바랍니다. 저희가 세심히 살펴볼 것입니다."

"여 여기서요?" 정현은 낭패감이 삽시간에 들었다. 이렇게 많은 눈이 자신을 쳐다보는데, 이런 곳에서 발가벗겨진다는 게….

하지만 어쩔 수 없었다. 만약 한순간이라도 허튼짓했다간 그 자리에서 당장 경비관의 칼에 목이 날아간다는 것을 잘 알고 있었다. 옷을 모두 벗자 내시 2명이 달려들어 정현의 구석구석을 만지고 찔러보고 벌려서 살펴보았다. 이윽고 모든 검사가 다 끝나자 모든 시중은 물러났다. 하지만 경비관은 몇 걸음 뒤로 물러난 뒤 그 자리에 다시 버티고 서 있었다.

"이리 가까이 오너라…. 응…." 세빈은 기분이 좋은 듯, 간만에 콧소리를 내면서, 마치 연인에게 대하듯 다정스레 말했다. 정현이 다가가자 세빈은 그의 가슴에 안기며 속삭였다.

"너 물건이 예사롭지 않구나…. 호호호…."

****

새벽을 알리는 종소리가 3번 울렸다. 황제는 곯아떨어
졌다. 하지만 정현은 한숨도 잘 수 없었다. 어찌 잠을
청할 수가 있겠는가? 날이 새면 쥐도 새도 모르게 사라
질 운명인데…. 정현은 한없이 슬픈 모습으로 종소리를
들었다.

3. 개암

그날 오후, 궁궐은 뜻밖의 소식에 다들 수군대기 시작했다. 정현이 죽임을 당하지 않고 살아 돌아간 것이다. 변덕스럽고 변태스럽기 짝이 없는 황제의 근래 보기 드문 행위였다. 가뜩이나 쿠데타로 잡은 정권인지라, 세빈은 주위 사람을 아무도 믿지 않았으며, 더욱이 낯선 외부 사람은, 그녀의 욕망 충족이 끝나면 가차 없이 죽여야만 안심을 하였다. 그런 그녀가 정현을 멀쩡한 상태로 돌려보냈다는 것은, 궁궐의 고관대작에서 미관말직까지 상당한 호기심을 느끼지 않으려야 않을 수 없었다. 그날은, 궁궐을 출입하는 사람마다, 다들 서로의 소매를 붙잡고 정현에 관한 이야기를 엮어나갔다. 그리고 당연하게도, 그에 대한 여러 가지 헛소문이 퍼지기 시작했다. 어마어마한 물건의 소유자라는 것부터, 집안 대대로 내려오는 <침실의 기교> 혹은 <춘약>을 전수하였다거나, 전설로만 전해져오는, 고대 서적 <금병매>와 <옥보단>을 통달했다는 등등.

하지만 정작 정현 본인은 여전히 살얼음판에 선 위기의 남자일 뿐이었다. 황제가 하루 정도야 만족하여 봐줄 수 있겠지만, 그 변덕스러운 성질머리로 내일은 어떻게 변할지 알 수 없으니 그로서는 당연히 좌불안석(坐不安席)일 수밖에 없었다. 게다가 그가 지닌, <비아그람>이라고 불리는 파란 약은 이제 4개밖에 남지 않았다. 그는 이 약의 효능을 할아버지를 통해 배웠다. 고대 유물에서 가끔 발굴되는 것인데, 하찮은 것으로 생각하여 다른 사람들은 소홀히 다루었다. 하지만 고대어에 능한 정현 집안사람들은, 그 효능과 부작용을 해석하여 알고 있었으므로 그 약의 비밀을 가족에게만 몰래 전수하였다. 하지만 정현이 어찌어찌해서 이 약의 도움으로 앞으로 나흘은 더 버틸 수 있다고 치더라도 그 이후는 죽은 목숨이나 마찬가지였다. 그저 고통스러운 시간만 며칠 더 연장하는 것뿐이었다. 그는 침실에 드러누워 긴 한숨을 푹푹 쉬었다.

한편, 이 상황을 유심히 지켜보고 있는 환관이 있었다. 그는 환관의 우두머리인 <상선>의 신분으로 <개암>이라고 불렸다. 개암은 황제의 양아버지인 구뷘의 사람이었다. 개암은 어릴 때 지독하게 가난한 일곱 형제의 막내로, 허구한 날 집집이 돌아다니며 구걸을 하여 겨우 목숨을 유지하였다. 그러던 중 구뷘의 집에 노예로 팔려가게 되었다. 구뷘은 그가 기억력이 비상하고 심지가 굳다는 사실을 알고는 그를 가까이에 두고, 다른 사람과 비밀스러운 메시지를 주고받는 하인으로 부렸다. 그리고 개암이 12살이 되던 해, 그를 궁궐의 환관으로 집어넣었다. 이는 그가 스스로 구뷘에게 부탁을 한 거였다. 개암은 야심이 있었다. 그리고 여러 권력자의 메시지를 전달하면서 그는 깨달았다. 최고 권력자와 가까이 있는 자가 결국 권력을 얻게 된다는 사실을….

개암은 모처럼 만에 기대를 걸 만한 소식을 구빈에게 몰래 보냈다. 개암은 그동안 구빈의 명령에 따라, 황제를 독살시키기 위한 기회를 끊임없이 찾고 있었다. 하지만 세빈은 보통내기가 아니었다. 그녀가 먹고 마시는 모든 음식은 조리과정부터 철저하게 감시하였고 완성된 음식이라도 아랫것들이 여러 번 임상 시험을 거친 후에야 비로소 수저를 들었다. 그녀로서는 어쩌면 당연한 조치일 것이다. 황제 스스로 정적을 독살시켜서 그 자리에 올라앉았으니 어찌 그 두려움이 없을 수 있겠는가? 개암은 구빈에게 정현에 관한 이야기와 함께, 만약 정현이 황제의 총애를 받아 계속 그녀 가까이에 머물 수만 있다면, 대의를 펼칠 기회가 반드시 생길 것이라고 전달했다.

그날 밤, 개암은 약재를 담당하는 관에 일러, 정력에 좋다는 녹용, 도마뱀, 사람의 태반, 물개의 성기, 해마와 부추 씨앗을 넣은 정력 탕을 짓게 하여, 손수 탕을 들고 정현을 만나러 갔다. 황제의 명이라고 속이니 다들 아무

의심 없이 길을 터주었다.

"자네가 정현인가?" 개암은 부드러운 목소리로 상냥하게 물었다.

"네, 그렇습니다만, 소인 뉘라고 불러야 할지?" 정현은 뜻밖의 손님에 당황한 표정으로 황급히 머리를 조아렸다.

"지금은 사적인 자리이므로 그냥 개암이라고 불러도 무방하네. 게다가 비록 몰락한 집안이라지만, 엄연히 나라의 중책을 조상 대대로 이어온 뼈대 있는 가문 사람인데 어찌 내가 경솔하게 아랫것 대하듯이 할 수 있겠는가." 개암은 정현의 얼굴을 찬찬히 훑어보며 자기 사람으로 만들 요령을 생각했다.

"그렇게 인정해주신다니 저로서는 그저 고마울 따름이옵니다. 하지만 나라의 국법을 어긴 죄인의 집안이므로, 그저 하루하루 속죄하는 심정으로 모진 목숨 연명할 뿐이옵니다." 정현은 다시 한번 깊숙이 고개를 숙였다. 그러자 개암이 천천히 그에게 다가가 그를 일으키고는 딱한 표정으로 말을 이어갔다.

"나도 이미 자네에 대하여 알아볼 것은 다 알아보았네. 그게 어찌 자네 아버지의 죄가 될 것이며 가문의 허물이 될 수 있단 말인가. 그저 그 상자에 담긴 알록달록한 약이 마약임을 제대로 파악하지 못한 아랫것들의 잘못이지 않겠나. 게다가 그게 설령 마약임을 알았다고 하더라도 그렇지. 자네 집안이 어디 그냥 보통 집안인가? 대대로 충신과 열녀를 배출하고, 나라와 백성을 위한 한결같은 마음으로, 무슨 일이든 맡은 바 임무에 지극정성을 쏟으니, 하늘도 알고 땅도 알고, 심지어 변방의 작은 벼슬아치들도 존경을 마다하지 않으니, 이 어찌 자네가 감내하여야 하는 이 현실이, 작은 죄에 대한 벌로 합당하다 할 수 있겠는가? 그러니 이 깊은 궁궐에서 하찮은 직책을 맡은 나 같은 사람에게조차도 자네의 신세가 그저 안타깝고 한스럽게 느껴질 뿐이라네." 개암은 정현의 두 손을 꼭 잡으며 지긋이 그를 쳐다봤다. 정현은 개암의 위로에 그동안 참고 참았던 눈물이 폭포수처럼 쏟아졌다.

"그저 소인은 소경이 되신 제 어머니를 끝까지 모시지 못한 불효에 가슴이 미어질 뿐이옵니다." 정현은 개암에게 쓰러질 듯이 안기며, 파리보다 못한 자신의 처지와 어머니에 대한 애절한 그리움을 나타냈다. 그렇게 두 사람은 말없이 한참을 부둥켜안았다.

이윽고 정현의 울음이 잦아들 무렵, 드디어 개암은 그의 방문 목적을 넌지시 비추기 시작했다.

"내 이제, 내가 자네를 이렇게 불쑥 찾아온 이유를 말하고자 하네. 이건 어찌 보면 자네의 효심과도 연관되어, 자네가 살아서 어머니에게로 가기를 바라는 마음에서 비롯되었다고 할 수 있네." 개암은 정현의 표정을 유심히 살피며 찬찬히 말을 했다.

"소인, 제 어머니를 다시 만날 수만 있다면 이보다 더

한 기쁨이 어디 있겠습니까! 부디 어르신께서, 제가 살아서 돌아갈 방법을 꼭 알려주시기를 머리 쪼아 빕니다." 정현은 간곡한 표정으로 개암을 우러러봤다.

"우선, 자네가 꼭 약조할 것이 있네. 지금부터 내가 하는 이야기는 절대로 다른 사람 귀에 들어가서는 안 될 걸세." 개암은 비장한 표정으로 정현을 노려봤다.

"네, 그러겠습니다. 어르신 말씀을 제 무덤까지 가져가겠습니다." 정현은 두 손을 꼭 잡고 결연한 표정으로 고개를 끄덕거렸다. 개암은 크게 한숨을 쉬고는 정현의 귀에다가 입을 바짝 갖다 대고는 낮게 속삭였다.

"나는 상황제의 명으로 세빈을 독살하려고 한다네." 정현은 그 소리를 듣는 순간 가슴이 세차게 뛰기 시작했다. 그리고는 자신이 헛것을 들었나 싶어 재차 물었다.

"상황제시라면?" 정현의 물음에 개암은 더욱 낮게 속삭였다.

"그래, 구뷘 나리님이시다." 정현은 영리한 사람이었다. 지금 개암이 말하고자 하는 뜻을 대번에 알아차렸다. 하지만 워낙 중차대한 일이므로 그가 확신이 들 때까지 묻지 않을 수 없었다.

"그렇다면, 나으리. 제가 지금의 황제를 독살하라는 말씀이신가요?" 정현은 부들부들 떨면서 개암에게 속삭였다.

"그렇다네. 자네만이 유일하게 황제 가까이 갈 수 있으며, 그 길만이 자네가 이 지옥에서 풀려날 수 있는 유일한 수단이라네." 개암은 정현의 어깨를 꼭 잡으며 독려를 하기 시작했다.

"하지만 나으리. 황제 앞에서, 저는 알몸이 되어 몸 구석구석을 시종들이 다 살피고 난 뒤에야 겨우 만남을 허락받습니다. 그런 제가 어찌 독약을 지닐 수가 있겠습니까?" 정현은 걱정스러운 얼굴로 개암을 살폈다.

"그건, 나도 잘 알고 있네. 황제는 영악할 뿐만 아니라 겁이 아주 많아 절대로 너에게 빈틈을 보이지 않을 걸세. 만약 그렇지 않았다면 벌써 내 손에 유명을 달리하였을 거야. 나는 오늘 밤 당장 자네에게 독약을 처방하진 않을걸세."

"그렇다면? 나으리…." 정현은 어리둥절한 표정이 되었다.

"그때가 틀림없이 올걸세…." 개암은 굳은 표정으로 정현의 손을 꼭 잡았다.

4. 서동

개암은 시간을 확인했다. 궁궐의 업무를 마감하는 시간
이 얼마 남지 않았다. 오늘도 황제가 정현을 찾는다면,
정현에게 연락이 올 시간이었다. 그는 정현을 다시 방문
할 것을 약조하고는 돌아갔다. 다시 혼자가 된 정현은
좌불안석(坐不安席)이었다.

자신이 살기 위해서는 어쩔 수 없이 황제를 죽여야만
하는 작금의 현실을 어떻게 받아들여야 할지 갈피를 잡
을 수 없었다. 왜냐하면 그는 벌레 한 마리조차 죽여 본
적이 없기 때문이었다. 대대로 뼈대 있는 학자 집안의

귀한 자식으로 태어나 그저 지금까지 보고 배운 것이라고는 학문과 언어 공부였으며, 귀양촌에서도 곡물 키우는 것 외에는 당최 무엇하나 해 본 적이 없는 그이기에, 이 땅의 최고 권력자를 자기 손으로 죽여야만 하는, 기괴하고 해괴망측한 자신의 운명을 도저히 용납할 수가 없었던 거였다.

　그렇게 불안한 눈으로 서성거리고 있는 정현에게 어김없이 세빈이 호출을 하였다. 그는 이번에도 파란 약을 하나 꿀꺽 삼키고는, 마치 도살장에 끌려가는 소처럼 어기적어기적 황제에게로 나아 갔다. 그리고 변함없이 밤새도록 황제에게 시달림을 당하고 무사히 자신의 처소로 돌아왔다. 이제 남은 약은 3알. 정현은 그날도 개암이 나타나 주기를 학수고대(鶴首苦待)하였다. 하지만 개암은 그를 찾지 않았다. 그리고 다음 날도 그다음 날도, 무심한 개암은 정현을 잊은 듯 나타나지 않았다. 결국 모든 약을 소진한 그 날. 정현은 거의 자포자기(自暴自棄) 상태에다가 그동안 거의 뜬눈으로 밤을 지새우다 보니, 마침내 바닥에 쓰러져 깊은 잠에 빠져 버리고 말았다.

정현이 그렇게 한동안 시체처럼 꼼짝없이 잠을 자는 사이, 누군가가 그의 옆에 와서 그를 흔들어 깨우고 있었다. 정현은 눈을 뜨고서도 한동안 비몽사몽간을 헤맸다. 개암이었다. 그는 정현을 안쓰러운 표정으로 내려다보며 그가 완전히 정신이 깰 때까지 옆에서 조용히 기다렸다. 그 사이 정현은 무거운 몸을 힘겹게 곧추세우며 겨우 일어나 개암에게 예를 갖추었다.

"소인, 귀하신 분의 방문도 눈치채지 못하고 그만 심하게 잠이 들고 말았습니다. 부디 용서하여주시기를 바랍니다." 정현이 고개를 숙이고 머리를 조아렸다.

"오히려 내가 미안할 따름이네. 몇 날 며칠을 황제의 괴롭힘에 몸과 마음이 무척 상했을 터인데 편히 쉬는 자네를 이렇게 곤혹스럽게 깨웠으니…. 하지만 어쩌겠나. 시국이 시국이니만큼 자네나 나나 목숨 부지하려면 정신 바짝 차리고 다음으로 나가야 하지 않겠나." 개암은 부드러운 목소리로 고개 숙인 정현을 위로했다.

"지당하십니다. 나리. 사실 지난 며칠 동안 나리가 제 처소에 오기만을 기다리고 기다렸습니다." 정현은 간곡한 심정을 담아 답했다.

"나도 자네의 심정을 충분히 이해하고도 남네. 하지만 궁궐 곳곳에 염탐꾼을 심어 놓은 황제의 의심을 피하려면 이렇게 하는 수밖에 도리가 없었다네…. 정현…." 개암은 안타까운 표정으로 정현을 바라봤다.

"아무튼 이렇게라도 저를 찾아 주시니 소인 몸 둘 바를 모르겠습니다." 정현은 다시 감사의 예를 표했다. 예가 끝나자 개암은 몸을 정현에게 붙이고 천천히 정현의 귀에다 대고 아주 작게 소곤거리기 시작했다.

"자네는 혹시 서동을 아는가?" 개암의 물음에 정현도 개암의 귀에 대고 속삭였다.

"네, 들어서 알고는 있습니다. 고대 유물 발굴팀 직원으로 약을 빼돌리다 적발되어 옥살이하는 것으로 알고 있습니다." 정현은 푸념을 늘어놓듯이 말을 뱉었다. 그도 그럴 것이 서동이 처음 적발되는 바람에 발굴팀과 통역팀 직원들이 줄줄이 엮여 들어갔고 그 때문에 정현의 아버지도 화를 당하게 된 것이었다.

"그래, 자네도 익히 알고 있으리라 생각했네. 그 작자에 대해서⋯. 하지만 그 서동이 불과 한 달 전까지 황제와 잠자리했다는 사실은 자네도 모를 것으로 생각하네⋯." 정현은 눈을 동그랗게 뜨고 개암을 쳐다봤다.

"아니, 감옥에 있어야 할 서동이 어떻게?" 정현은 놀라움과 의구심을 동시에 느끼며 개암에게 물었다.

"서동이 감옥에 있었다는 것은 사실이네. 하지만 그동안 황제가 전국의 총각 씨를 말리지 않았겠나⋯? 그러니⋯. 기쁨조 모집원이 결국 감옥에 갇힌 자들도 조사하고 다녔지⋯. 그런데 그 서동의 허우대를 한 번이라도 본 사람이라면 그의 수려한 외모에 감탄하지 않을 수 없으니…. 어찌 모집원이 그를 그냥 두었겠나…. 결국 감옥에서 빼내어 황제에게 갖다 바친걸세….” 정현이 서동의 얘기를 듣자, 자신이 지금 겪고 있는 고통을 고대로 받았을 서동이 가련해지기 시작했다.

“그래서 지금 서동은 어떻게 되었습니까? 나으리…” 정현의 질문에 개암은 잠시 머뭇거렸다. 사실대로 말해야 하지만 정현이 지금 받는 고통을 더할 뿐인 현실이, 개암에게는 부담이 될 수밖에 없었다.

“자네가 얼추 예상한 대로라네….” 개암은 정현을 슬프게 바라보며 속삭였다.

“그럼 결국 죽임을?” 정현은 고개를 떨구었다.

“그래, 그렇게 되었지.” 개암은 정현의 어깨를 살포시 두드리며 위로를 대신했다.

"그런데, 나으리. 왜 저에게 서동의 얘기를?" 겨우 마음을 추스른 정현이 다시 물었다.

"거의 우리의 거사가 성공할 뻔했다는 게야. 서동이 며칠만 더 버텼으면…." 개암의 말에 정현은 다시 심장이 벌렁거리기 시작했다.

"그럼 서동이 황제와 하룻밤만 잔 게 아니었군요?" 정현은 개암의 말을 대번에 파악했다.

"그래, 서동은 황제와 무려 한 달간을 같이 지냈다네…." 그 말에 정현은 놀라지 않을 수 없었다.

"한 달이라고 하셨습니까? 나으리…." 정현은 지금 자신이 들은 게 농이 아니라는 것을 확인이라도 하려는 듯 서둘러 개암에게 질문을 던졌다.

"그래, 정확하게는 삼십 일이었네. 세빈이 서동에게 완전히 빠졌다고 우리는 그새 확신했지…. 그래서 독약을 준비하고 때를 기다리는 여유도 부렸지…. 하지만…. 황제의 변덕이 또다시 그녀를 살린 셈이야….” 개암은 아쉬운 표정을 지으며 정현을 바라봤다. 정현도 길게 한숨을 쉬었다. 서동의 죽음이 결국 자신을 옭아매는 사슬이 되었으니, 한 치 앞도 알 수 없는 사람의 운명이 너무 가혹하다고 정현은 느꼈다. 하지만 정현이 그냥 넋 놓고 있을 처지가 아니었다. 그래서 그는 지푸라기라도 잡는 심정으로 개암에게 물었다.

“나으리, 그런데 서동은 어떻게 한 달을 버틸 수 있었는가요?” 지금 정현에게는 이보다 더 귀한 질문은 없을 것이다. 하루라도 더 살아서 버텨야만 이 지옥을 벗어날 가능성도 그만큼 커질 수 있지 않겠는가.

“오늘 내가 자네에게 서동의 이야기를 꺼낸 것은, 바로 그 점을 일깨워주기 위함이네. 자네도 잘 알다시피 지금의 황제, 세빈은 미천한 출신의 사생아가 아니겠는가! 그런 천한 그녀가 순전히 노래 하나로, 자상하신 우리 구뷘 나리의 수양딸로 입적이 되면서 오늘날 황제의 자리까지 오른 것이 아니겠는가! 그러니 그녀가 배움이 짧은 것은 두말할 필요도 없으려니와 글자를 읽을 줄도 쓸 줄도 모르는 문맹이라는 사실은, 문무 대신들 사이에 파다하게 퍼진 소문이라네. 다만 그에 대하여 세빈이 워낙 민감하게 반응하고 입단속을 요구하는 바람에, 딱한 백성들만 모르는 비밀이 되고 말았다네…." 개암은 더욱 낮은 소리로 정현에게 속삭였다.

"그렇다면 세빈은 어떻게 국정을?" 정현이 호기심을 보이며 개암의 입에 귀를 바짝 갖다 대었다.

"나랏일을 기록하는 예문관이 그 일을 담당한다네. 그러니까 황제에게 올라오는 모든 문서는 예문관 소속 관리가 황제 앞에서 낭독하고 그에 대한 황제의 답변을 기록하여 여러 대신에게 전달하는 방식이라네…."

"그럼, 세빈은 하루에 올라오는 그 문서들을 한 번만 듣고는 판단을 내린다는 말씀이신가요? 나으리." 정현은 귀를 바짝 세우고선 개암의 답을 기다렸다.

"그렇지. 그러니 세빈의 기억력이 비상할 수밖에는. 무엇이든 한번 들으면 꼭 기억하려는 집중력 훈련을 어릴 때부터 자연스럽게 배우게 되었다는 거지···. 그녀의 장기인 노래 또한 그녀의 특기를 살리는 데 한몫했지···. 그녀는 한번 들은 노래는 절대로 잊지 않고 정확하게 따라 불렀으니 실로 놀라운 능력이 아니겠는가···. 오늘날 그녀가, 피 한 방울 섞이지 않은 일곱 동생을 수족 부리듯 할 수 있는 것도 그녀의 그 놀라운 기억력 때문인 거지···."

"하지만, 나으리. 세빈의 그 능력과 서동이 무슨 관계가 있는 것인가요? 더욱 궁금하기만 합니다. 소인은···." 정현은 머리를 갸우뚱하면 개암에게 물었다.

"내가 하고 싶은 말이 바로 지금부터라네···. 세빈은 자신의 기억력에 대한 자부심이 남다르지···. 그러므로 무슨 이야기든지 듣고자 하는 욕망 또한 엄청나다네···. 즉, 황제는 이야기를 좋아한다네···. 그게 서동을 한 달

동안 살린 거지…." 개암은 확신에 찬 표정으로 정현을
바라봤다.

5. 마약

    정현은, 황제가 이야기를 좋아한다는 말에, 살 수 있다는 한 가닥 희망을 금세 품게 되었다. 그도 그럴 것이, 정현의 집안은 대대로 통역과 번역 업무를 담당하였으므로, 무수한 이야기를 어릴 때부터 듣고 보고 자랐기 때문이었다. 그는 오래전 멸족한 고대인의 이야기부터 외국 사신이나 무역상으로부터 전해 들은 바깥세상의 신비한 이야기까지, 수많은 전설이나 설화, 역사와 소설을 머리에 품고 있었다. 한마디로 그는 걸어 다니는 백과사전이었다. 정현은 들뜬 표정으로 개암에게 조급히 물었다.

"황제는 어떤 이야기를 좋아하는가요?" 개암은, 정현의 표정이 좋아진 것을 보고는, 기다렸다는 듯이 말을 이어갔다.

"그 처음은 이러하였네." 개암은 서동이 황제에게 끌려간 그 날을 찬찬히 묘사하였다.

****

황제가 서동과 동침을 끝낸 후, 그녀는 평소대로 서동의 죽임을 명하였다. 그 자리에서, 경비관은 서동을 결박하였다. 그리고 막 서동을 끌고 가려고 하였다. 서동은 이미 목숨 부지는 어렵다는 것을 확신한 상태라, 마음을 비우고 그 자리에서 호탕하게 웃으며 유언을 남겼다.

"인간만사새옹마(人間萬事塞翁馬)이거늘…. 잘 놀다 저세상 간다."

이 말을 들은 세빈이, 경비관에게 잠시 멈추라고 명하

였다. 그리고는 서동에게 물었다.

"인간만사새옹마가 무슨 뜻이냐?"

"오래전 고대인의 이야기로, 인생의 교훈을 담은 뜻입니다." 이에 서동은 답하였다.

"무슨 교훈이냐?" 황제는 서동의 결박을 풀라고 명하고는 다시 물었다.

"우리 인생에 닫칠 행복과 불행은 알 수 없으니, 작은 일 하나하나에 기뻐하거나 슬퍼할 필요가 없다는 뜻입니다."

서동의 말을 듣고는 잠시 생각에 잠긴 황제는, 이윽고 서동을 좀 더 가까이 오라고 명하고는 다시 물었다.

"너는 내게 더 자세하게 그 이야기를 해보거라."

"새옹마라는 뜻은 <변방 노인의 말>이라는 뜻이옵니다. 그 이야기는 이러하옵니다. 북쪽 변방에 한 노인이 살고 있었습니다. 어느 날 그 노인이 기르던 말이 도망가자 사람들은 노인을 위로했습니다. 하지만 노인은 낙심하지 않았습니다. 그런데 도망간 말이 짝을 데리고 나타났습니다. 이에 사람들은 노인에게 축하하였지만, 노인은 오히려 덤덤할 뿐이었습니다. 그러던 어느 날 그 말을 타던 아들이 떨어져 다리를 크게 다쳤습니다. 이에 사람들이 다시 그 노인에게 위로하였습니다. 하지만 그때도 노인은 덤덤할 뿐이었습니다. 그런데 나라에 전쟁이 났습니다. 그 동네 대부분의 젊은 남자들은 전쟁에 끌려가서 목숨을 잃었지만, 아들은 불구라서 군에 징집되지 않았습니다. 이에 사람들은 비로소 노인이 무덤덤한 이유를 알게 되었습니다."

"거참 재미있는 이야기구나. 너는 다른 이야기도 알고 있느냐?" 세빈은 서동의 이야기에 호기심을 보이며 그를 좀 더 가까이 오라고 손짓했다.

"네, 소인은 고대 유물 발굴을 하면서 전해 들은 몇 가지 이야기를 들어서 기억하고 있사옵니다." 서동은 살 수 있다는 한 가닥 희망을 품으며 떨리는 목소리로 답했다.

"그래, 그럼 오늘은 너의 처소로 돌아가고 내일 보자 꾸나.…. 내 너의 이야기를 모두 들어야겠다."

＊＊＊＊＊＊＊＊＊

"그 이야기는 저도 익히 들어서 알고 있는 내용입니다. 나으리" 정현은 기분 좋은 목소리로 개암을 쳐다봤다.

"내가 그래서 자네를 찾은 걸세. 어떤가? 황제를 구워 삶을 수 있겠는가?" 개암도 들뜬 표정으로 정현을 살폈다.

"소인이 예전에 살던 집 한편에는 고대인의 책이 헤아

릴 수 없이 많이 보관되어 있었습니다. 덕분에 저는 비교적 어린 나이에 고대어를 깨쳤으며, 그 책 중 대다수를 읽을 수 있는 기회가 있었습니다. 그러므로 황제의 흥미를 자극하기에는 충분한 이야기를 갖추었다고 생각하는 바입니다. 어르신." 정현은 삶의 한 가닥도 놓치지 않겠다는 굳은 각오로 개암에게 힘주어 말했다.

"고맙네, 정현. 자네가 우리의 마지막 희망이라네. 그 희망의 끈을 꼭 붙잡기를 바라네…." 개암은 정현을 안으며 용기를 북돋워 주었다.

"네, 고맙습니다. 어르신. 그야말로 인간만사 새옹지마입니다. 우리의 앞날이 어떻게 펼쳐질지는 알 수 없는 것. 저는 그저 제 도리를 다하여 제 목숨을 보전하고 나리를 돕겠습니다." 정현은 울컥하며 솟구치는 울음을 참을 수 없었다.

****

개암이 물러가고 얼마 지나지 않아 황제의 호출이 왔다. 정현은 다시 한번 마음을 다잡고 황제 앞으로 나아갔다. 그리고 처음으로, 파란 약 없이 정현은 세빈과 잠자리를 하였다. 그 결과는 불 보듯 뻔하였다. 황제는 실망이 가득한 표정으로, 경비관에게 정현을 끌고 가 그의 목을 내칠 것을 명하였다. 일촉즉발(一觸卽發) 위기의 순간, 정현은 고개를 납작 숙이고 간곡한 목소리로 황제께 아뢰었다.

"만물을 주관하시고 다스리시는 지존의 존엄하신 자리를 보전하사, 천수의 광명을 누리시는 황제 폐하께, 미물보다 가볍고 버러지보다 작은 소인이 한 말씀 여쭐 수 있는 기회를 주신다면, 이 한 몸 죽어서도 폐하의 하해와 같은 은혜에 몸 둘 바를 모를 것이옵니다."

"너도 다른 놈처럼 구차하게 목숨을 구걸하려고 하는 게야?" 세빈은 입을 비죽 비죽거리며 귀찮은 듯 말을 내뱉었다.

"어찌 제가 존귀하신 폐하를 실망하게 한 대죄를 짓고도, 하찮은 이 목숨을 연연하려고 하겠습니까. 다만 저는 오늘 폐하를 모시면서, 지난 닷새와 사뭇 달랐던 연유를 솔직하게 고백함으로써, 어찌 보면 하늘과 같은 폐하를 속이려 한 점을 깊이 뉘우치고 사죄하여, 제 저승길을 약간이나마 가벼이 하려는 의도만 있을 뿐입니다. 그 점 통촉하여 주옵소서." 정현은 정신을 바짝 차리고 한마디 한마디 힘주어가며, 그가 머릿속에 담아 두었던 말을 끄집어냈다.

"그래? 안 그래도 내 묻고 싶었다. 내 너의 정기를 보충하라고, 특별히 약제사에게 명하여, 귀하디귀한 온갖 약재들을 아낌없이 쓰라고 일렀거늘, 너는 대체 어쩌다 그 기력을 보존치 못하고 황천길이 내일모레인 영감탱이보다 못하게 되었느냐? 사실 지난 닷새 동안 내 너와 함께 함이 무척 즐겁고 흡족하여 내 너를 귀한 곳에 쓰려고 생각한 적이 한두 번이 아니었다." 세빈은 지난 며칠 동안 그녀가 느꼈던 행복감을 끄집어내며 입맛을 다셨다.

"미천한 소인이 지난 닷새 동안 폐하를 흡족하게 해 드린 이면에는 사실, 제가 이곳에 오기 전 고대인의 약을 소량 지니고 있었습니다. 그 약의 효험이 특별하다는 것을 저는 일찍이 알고 있었으나 특별히 사용할 일이 없었기에 보관만 해 두다가 이번에 몸소 체험하게 된 것이옵니다. 폐하. 미리 폐하께 아뢰지 못한 점, 무척 송구스럽게 생각하옵니다."

"고대인의 약이라고 하였느냐?" 세빈은 호기심을 드러내며 정현을 가까이 오라고 손짓했다.

"네, 그러하옵니다. <비아그람>이라고 불리는 파란 약으로 고대인들 사이에 널리 퍼졌던 명약이옵니다. 폐하." 정현은 황제가 호기심을 보이자, 살 수 있다는 한 가닥 희망을 품고 적극적으로 가까이 다가가서 말을 했다.

"너는 어떻게 그 약을 갖게 되었느냐? 그리고 어떻게 그 약의 효험을 알게 되었느냐?"

"소인의 집안은 나라에 큰 죄를 지어 지금은 몰락하였으나, 대대손손 통역관으로서 나라의 녹을 먹었으며, 고대어에도 능하여 유물 발굴에도 깊이 관여하였사옵니다. 그러니 자연스레 집안 곳곳에 고대인의 소품과 책들을 보관하였기에, 저는 어릴 적부터 그러한 고대인의 물건에 호기심을 보여, 그 들의 삶에 대한 많은 부분을 알게 되었습니다."

"하지만 고대인의 약은 국가에서 엄격히 금하는 물건이 아니더냐?" 세빈은 목소리를 높여 정현을 추궁했다.

"고대인의 모든 약이 그런 것은 아니옵니다. 폐하. 다만 고대인들이 마약이라고 총칭하는 일부 약들이 있는데, 사람의 정신을 혼몽하게 만들어 결국 죽음에 이르게 한다고 하여 엄격하게 금하고 있사옵니다. 사실, 천 년전 이 땅의 시조이신 <프라이드>님께서 고대인의 멸망 뒤에, 남극에 건설한 빙하 왕국에서 <선한 이들>과 함께 이 땅으로 건너와 흉악한 <샤크라>를 물리치고 새로운 왕국을 건설하였을 때, 그분이 고대인을 멸망으로 이르게 한 세 가지를 엄격하게 금지하였습니다. 그 세 가지 중 하나가 바로 마약이었습니다. 그리하여 이 땅의 후손들이 고대인의 약은 모두 금지한 약으로 착각하고 있을 뿐이옵니다. 폐하.”

“그래? 그럼 그 프라이드 시조님께서 금지한 나머지 두 가지가 뭐였느냐?”

“하나는 <총기류>로 대표되는 <대량 살상 무기>이고 또 한 가지는 <과학>이라고 일컫는 신기술이옵니다.”

6. 한국

"과학이라는 신기술이라고 하였느냐?" 세빈은 정현을 바로 코앞까지 가까이 오게 한 뒤 물었다.

"네, 그러하옵니다. 폐하. 고대인들의 신기술은 워낙 출중하여 차마 말로 표현하기가 버거울 정도입니다."

"고대인이 그렇게 뛰어났단 말인가? 어디 예시를 들어 보거라."

"네, 황제 폐하. 우선 그들은 쇳덩이도 만든 날 것을 이용하여 하늘과 바다, 심지어 바닷속과 땅속을 흙 하나 옷에 묻히지 않고 편하게 다녔습니다. 그리고 개개인의 손에는 사각형으로 된 작은 널빤지를 지니고 다녔는데, 이역만리(異域萬里) 떨어진 사람을 마치 옆에 있는 것처럼 또렷이 얼굴을 보고 대화를 할 수 있었다고 합니다." 정현은 황제의 표정을 찬찬히 살피며 조곤조곤 이야기를 이어갔다.

"그게 그럴 수가 있단 말인가? 어떻게 쇳덩이를 하늘에 띄운단 말인가?" 황제는 반신반의하면서 재차 정현에게 물었다.

"저도 눈으로 보지 않고는 도저히 믿을 수 없었으나, 고대인의 유물 중에 움직이는 그림판이 있사옵니다. 만약 폐하께서 그것을 보신다면 감히 의심의 눈초리를 할 수 없을 것으로 생각하옵니다."

"움직이는 그림이라?"

"네, 그러하옵니다. 마치 온 세상을 작은 상자에 옮겨 놓은 듯, 깨알 하나에도 정성을 다해 그려놓은 그림들이 현실로 착각이 들 정도로 움직였습니다. 폐하."

"너는 그러한 물건들을 아직도 지니고 있느냐?"

"황송하옵게도, 폐하. 저희 집안이 몰락하는 과정에 모두 소실되었습니다."

"그럼, 그러한 고대인의 물건은 전혀 볼 수 없는 것이냐?"

"아니옵니다. 폐하, 고대인의 유물은 꽤 많이 발굴하였고 대부분은 보관국에서 엄격한 감시하에 보관 중인 것으로 알고 있사옵니다. 그러므로 폐하의 윤허가 내려지면 얼마든지 궁궐로 이관할 수 있사옵니다. 다만 고대인의 물건이 워낙 뛰어나고 정교하다 보니 그 사용을 기록한 문서들이 있사온데 고대어를 깨우친 소인이 그 책무를 다하여야만 안전하게 물건의 사용이 가능할 것이옵니다. 왜냐하면 고대인의 물건 중에는 아주 위험한 것들도 다수 포함되어 있기 때문이옵니다. 폐하."

"그거 듣던 중 반가운 소리구나. 내 안 그래도 고대인의 우수성은 풍문으로 들었으나 내 눈으로 본 적이 없으므로 의구심을 지울 수가 없었는데, 이참에 너가 고대 유물에 익숙하다고 하니 내 안심하고 너에게 직책을 내릴 것이니, 너는 내가 흥미를 느낄 만한 물건들을 선별하여 정성을 다해 설명하고 작동을 시범 보이기를 명하노라."

"성은이 망극하옵니다. 폐하. 이 소인, 한목숨 다 바쳐 폐하의 기쁨을 선사할 수 있도록 노력할 것이옵니다."

"경은 듣거라, 지금부터 이 자를 고대 유물 관리대장으로 임명하고 정4품의 품계를 명하니 너희들은 그의 직책에 합당한 거처와 인력을 할당하도록 하여라!" 세빈은 좌우에 포진한 내시들을 훑어보며 명령을 하였다. 폐하의 우측 병풍 뒤에서 기록을 하던 예문관은 즉석에서 임명장을 작성하고 폐하의 직인을 꾹 눌러 찍은 다음, 총괄 내신에게 전달하였다.

"아울러 폐하! 고대 유물 발굴이 전국적으로 모두 중단된 채 꽤 많은 시일이 경과하고 방치되어 자칫 위험한 물건들이 도굴되어 백성들 간에 큰 화를 입거나 자칫하면 도시 전체가 위험에 빠질 수도 있사옵니다. 하여 서둘러 발굴 현장을 간수하고 탐구를 재개하여 더 큰 손실을 막는 게 도리일 것으로 생각하옵니다." 이제 죽음에서 풀려난 정현은 새 직책에 어울릴만한 충언을 세빈에게 고하였다.

"도시 전체가 위험할 수도 있다고 하였느냐?" 황제는 깜짝 놀란 눈으로 그를 쳐다봤다.

"그러하옵니다. 폐하. 고대인의 멸종과도 직접적인 관련이 있는 이 물건은, 폭발을 하게 되면 도시를 한순간에 불바다로 만들 뿐만 아니라 그 광경을 본 이들은 모두 소경이 되고 그 빛이 몸에 닿은 이들은 얼마 가지

못해 몸 구석구석에 혹이 생겨 결국 죽음에 이르게 된
다고 하옵니다." 정현은 자신이 어릴 적, 이것에 관한
고대인의 책을 읽은 후, 두려움에 몇 날 며칠 잠을 이루
지 못한 것을 기억하고는 몸서리치며 세빈에게 떨리는
목소리로 답했다.

"내 도저히 믿으려야 믿을 수 없는 말을 너는 늘어놓
는구나. 너는 지금 네가 발설하는 모든 이야기에 대하여
한 치의 거짓이라도 판명되면 너의 목숨이 남아나지 못
한다는 사실을 너는 잘 알고 있느냐?" 황제는 눈을 가
늘게 뜨고 의심을 잔뜩 한 모습으로 정현을 바라봤다.

"여기가 어느 안전이라고 제가 거짓을 고하겠나이까,
폐하. 오로지 소인은 고대인의 책에 기록된 대로 읽고
기억하여 말씀드릴 뿐이옵니다. 이 점 통촉하여 주옵소
서." 정현은 바짝 엎드려 세빈의 심기가 누그러지길 속
으로 빌었다.

"그러면 짐이 통치하는 이 땅에도 분명히 고대인들이

살았을 터, 여기를 무엇이라고 불렀느냐?" 세빈은 다시 호기심 어린 모습으로 변하여 정현에게 물었다.

"네, 폐하가 다스리시는 이 땅은 그때나 지금이나 세상의 중심으로 그 땅의 크기도 가장 클뿐더러 인구도 가장 많은 곳이었습니다. 고대인들은 이 대륙을 아시아라고 통칭하였고 폐하가 다스리시는 이 지역은 동쪽으로 꼬레아, 북쪽은 몽골, 서쪽은 카자흐스탄, 남쪽은 인디아 그리고 중앙은 차이나라고 불렀습니다." 정현은 머릿속에 고대인의 지도를 그려보며 각 국가를 읊었다.

"그럼, 내가 서 있는 이곳은 무엇이라고 불렀느냐?"

"충칭이라고 하옵니다." 정현은 잠시 생각에 잠기더니 이윽고 답을 내놓았다.

"그럼, 어디가 제일 잘 살았느냐?"

"꼬레이입니다. 이 땅의 농쪽 끝 토끼처럼 튀어나온

지역으로 고대인 중에 가장 뛰어난 종족이 살았습니다. 하지만 자식을 낳는 일에 소홀히 하여 결국 소멸이 되고 말았습니다. 그곳의 땅을 발굴하시면 무척 귀하고 진기한 물건들을 많이 만나실 수 있사옵니다. 폐하." 정현은 고대 도시의 사진들을 떠올리며, 화려하기 그지없는 꼬레아의 도시에 빠진 듯, 몽환적으로 답을 했다.

"그들은 어떡하다가 자식을 더 이상 낳지 않게 되었느냐?" 세빈은 마치 학생이 된 듯한 기분으로 꼬치꼬치 묻기 시작했다.

"제가 책에서 배운 바에 따르면, <꼬레아>라고 일컫는 자그마한 나라는, 열심히 공부하고 일을 하여, 무척 똑똑하고 결국, 많은 돈을 지니게 되었으나, 극심한 경쟁 때문에 모든 백성이 우울증에 빠져 자식을 생산하는 일을 소홀히 하였다고 하옵니다."

"얼마나 극심하게 경쟁하였기에 그 좋은 아이 낳는 일을 하지 않았다는 거냐?" 세빈은 재미있다는 표정으로 정현에게 물었다.

"꼬레아의 어린이들은 걷기 시작할 때부터 공부하기 시작하여 성인이 될 때까지 잠을 줄여가며 배우기를 멈출 수가 없었다고 하옵니다. 게다가 일을 하게 되면, 집은 잠시 쉬어 가는 곳일 뿐, 배우자와 로맨틱한 접촉을 할 여유가 없었을뿐더러 설령 아기가 태어나면 아이의 양육과 배움에 지나치게 많은 재물을 낭비하게 되어 그들 스스로 아기를 지운다고 하옵니다."

"불쌍하기 짝이 없는 종족이로구나. 삶은 느긋하게 즐기고 마음껏 누리기 위해 존재하는 법. 어찌 그들은 그 뛰어난 머리로 이 간단한 원리조차 이해하지 못했단 말이냐?"

"폐하께, 미리 말씀드린 대로, 극심한 경쟁심 때문으로 생각하옵니다."

"그래서, 그들은 그 경쟁을 통하여 무엇을 얻었다더

냐?"

"자괴감이옵니다." 정현은 그가 배운 바를 고대로 세
빈에게 알렸다.

"자괴감이라?"

"네, 그러하옵니다. 폐하. 욕심은 경쟁을 키우고 그 경
쟁은 더 큰 욕심을 불러들이니 결국, 끝이 없는 욕망의
고통에 신음하게 되는 자괴감으로 살아갈 뿐이옵니다."

"그 참, 고대인들은 한심하기 짝이 없는 족속이로구나.
그렇게 뛰어난 신기술을 지녔음에도 결국 자신을 고통으
로 몰아넣는 선택을 한다니…."

"그러니 스스로 소멸의 길을 택하였는지도 모를 일이
옵니다. 폐하."

"그 고대인들은 어떻게 멸종하였느냐?" 세빈은 고대인

의 전설을 노래로 부르던 어린 시절부터 품었던 궁금증을 털어놓았다.

"직접적인 원인은 세 번의 큰 전쟁이옵니다. 폐하."

"큰 전쟁이라? 얼마나 큰 전쟁이었더냐?"

"제가 기억하기로는, 1차 큰 전쟁이 2천만 이상, 2차 큰 전쟁이 5천만 이상이 사망하였습니다. 하지만….."

"하지만?"

"하지만 이것은 빙산의 일각이옵니다. 3차 큰 전쟁에서는 8억의 인구가 사망하였사옵니다. 폐하."

"8억이라?" 세빈은 입을 다물지 못했다.

"그 많은 고대인이 사라졌단 말이냐?" 세빈은 고개를 흔들며 재차 정현에게 물었다.

"네, 그러하옵니다. 지금 이 땅에, 폐하의 은혜 속에 기쁨을 누리며 사는 백성이 천만이 되지 않는 것으로 알고 있사옵니다. 그러므로 고대인들은 좁은 땅에 지나치게 많은 백성이 살고 있었던 것으로 추산이 되옵니다."

7. 건달

"그럼, 3차 큰 전쟁에서 살아남은 이는 몇이더냐?"

"아마겟돈 시대를 저술한 위대한 역사가이신 <릴리안 나리>님의 저서에 의하면 1억이 안 되었다고 하옵니다. 폐하."

"너는 그 역사책을 다 읽었느냐?" 조금 전 까지만 해도 정현의 사형을 명했던 세빈은 이제 정현을 마치 친구처럼 대하며 친근하게 꼬치꼬치 물었다.

"저의 유년 시절은 늘 고대인의 역사책에 파묻혀 있었습니다. 게다가 나리님의 책은 세세한 부분까지 마치 눈앞에 펼쳐놓은 듯한 묘사로 인하여 저는 아직도 눈을 감으면 그때의 장면이 그려놓은 듯 생생하게 기억할 수가 있습니다."

"그럼, 그 전쟁에서 살아남은 자 중에 우리의 조상이 있었더냐?"

"그러하옵니다. 폐하. 그의 이름은 블라디미르하고 하옵니다."

"그분의 직업이 무엇이더냐?"

"건달이옵니다. 폐하."

"건달이라? 그것참 희한하구나. 그런 하찮은 인간이 위대한 이 나라의 시조라니…."

"비록 건달 출신이지만, 타고난 운과 좋은 친구를 둔 덕분이라고 역사책에는 적혀 있었습니다."

"그래? 그럼 내게 그분의 이야기를 한번 해 보거라."

정현은 잠시 생각에 잠기더니 이윽고 블라디미르에 관해 이야기하기 시작했다.

****

블라디미르가 도착한 뉴욕은 한겨울이었다. 그는 긴 여행의 피로가 축적되어 무척 핼쑥했다. 하지만 그는 눈앞에 펼쳐진 고층 빌딩 숲과 무수한 차량과 인파 속에 들뜬 가슴을 주체할 수가 없었다. 마침내 늘 그리던 자유의 도시에 그는 첫발을 내딛게 된 것이다.

그는 러시아 시골 출신의 뜨내기였다. 9 남매의 딱 중간이었으며 고등학교를 2년쯤 다니다 자퇴하고는, 동네 건달이 된 둘째 형을 따라 여러 지역을 돌아다니곤 하였다.

그들은 주로 중소도시 외곽의 가난하고 소외된 자들을 겁박하여 그다지 좋지도 않은 물건들을 팔고 다녔다. 그러던 어느 날, 블라디미르는 어느 젊은이를 사소한 시비 끝에 흠씬 두들겨 팼는데, 하필이면 그 녀석의 아버지가 전직 KGB 출신이었다.

결국, 그는 도망자 신세가 되었다. 하지만 이내 잡히고 말았다. 그는 2m나 되는 큰 키에 몸무게 140kg의 거구였다. 어느 누가 그를 처음 봐도 잊을 수 없는 모습이었다.

어느 한적하고 썰렁한 건물로 끌려간 그의 앞에는 2가지 선택 사항이 놓였다. 감옥 혹은 군 복무.

그는 사거리에 서서 신호등이 바뀌길 기다리고 있었다. 그때 갑자기 빌딩 숲 사이로 스치며 매서운 속도가 붙은 돌풍이 거리를 휩쓸며 불쌍한 행인을 덮치기 시작했다. 살을 여미는 칼 추위였다.

그때, 그의 앞에 무척 고급스러운 캐딜락 한 대가 멈추었다. 길을 가는 행인들의 시선이 일시적으로 차에 멈추었다. 그 또한, 눈이 시리도록 따가운 태양의 햇살을 반사하는 그곳을 직시했다. 이윽고 조수석 문이 열리고 검은 정장 차림의 젊은이가 황급히 내리더니 뒷좌석 차문을 공손히 열어젖혔다.

그리고 그곳에서 나온 이는 놀랍게도 구부정하게 허리가 굽은 채 초라한 모습의 흑인이 내렸다. 그 순간 블라디미르 입에서 '쿡' 하고 웃음이 터져 나왔다.

"웃기게 생긴 흑인 녀석이구먼…" 그는 러시아어로 말하였다. 그리고는 그는 황당한 표정을 지으며 혀를 끌끌 차면서 옆을 지나갔다.

"어이!" 블라디미르가 한 열 발자국쯤 갔을까? 마치 자신을 호명하는 듯한 느낌이 들어 그는 돌아보았다. 흑인이 그를 빤히 쳐다보고 있었다. 뭔가 섬찟한 느낌이 들었다. 그래서 그는 애써 아닌 척하며 다시 뒤돌아서 걸음을 재촉했다.

"야! 러시아 촌뜨기!" 목덜미에서 다시금 목소리가 들려왔다. 러시아 말이었다. 순간 블라디미르는 촌뜨기라는 말에 불쑥 솟아나는 화를 내며 다시 돌아섰다.

"날 부른 거야? 이 검은 놈아!" 그의 말이 떨어지기 무섭게 캐딜락 주변에 있던 젊은이 3명이 그에게 거친 표정으로 성큼성큼 다가오기 시작했다. 그들은 주머니에서 검은 장갑을 끼더니 주먹을 휘두르기 시작했다. 뉴욕의 변두리라고는 하지만 여전히 지나가는 사람들이 있었다. 삽시간에 그들이 싸움 현장에 몰려들었다. 하지만 싸움은 눈 깜짝할 사이에 끝나버렸다.

세 명의 청년이 앓는 소리를 내면서 길에서 뒹굴고 있었다. 블라디미르는 특전사 출신이었다. 그리고 유아 전쟁(유럽과 아시아의 패권전쟁)에서 3년 동안, 특수 공작

원으로 근무하였다.

그는 상대방의 중요 부위와 눈을 차례대로 치고 찔러 버렸다. 그러자 청년 한 명이 총을 꺼내 들기 시작했다.

"그만!" 흑인이 큰소리로 외쳤다.

"자네 이름이 뭔가?"

"블라디미르다. 너는 이름이 뭐냐?"

"아놀드라고 한다. 영어 할 줄 아나?"

"조금 할 줄 안다. 왜?"

"자, 이건 내 명함이다. 돈이 필요하면 언제든지 연락해라."

"지금 돈이 필요하다. 무슨 일자리냐?"

"수금원."

"수금원?"

"그래, 돈 받아내는 거."

"봉급은?"

"네가 얼마나 받아내는 냐에 따라서…"

"좋다."

"그럼 지금부터 나를 보스라고 불러라."

"그래, 보스. 고맙다."

다음 날 블라디미르가 찾아간 곳은 작고 음침한 레스
토랑이었다.

그곳에는 전날 그에게 당한 3명의 젊은이 외에 6명이 더 있었다. 간단한 통성명이 이어지고 그들은 각자 할당된 지역으로 뿔뿔이 흩어졌다.

블라디미르는 토마스라는 키 작고 말이 무척 빠른 녀석과 파트너가 되어 그의 차에 올라탔다. 그리고 한 30분 정도를 달려 그들이 맡은 구역으로 갔다. 그곳은 전형적인 할렘가였다.

건물 대부분이 낡고 초라했으며 거리에는 어슬렁거리는 부랑자들이 자주 눈에 띄었다. 그렇게 그는 조직폭력배 생활을 시작하였다.

그는 그곳에서 거의 2년 동안 수금원 생활을 하였다. 어느새 그는 영어에 능숙해졌고 뉴욕 생활에 적응하였다. 하지만 그동안 보스를 볼 수는 없었다. 아놀드는 감옥에 투옥되었다.

한편, 블라디미르의 파트너인 토마스는 영리하였다. 두목이 없는 틈을 타, 그는 블라디미르의 힘을 발판으로, 서서히 다른 사업에 발을 들여놓기 시작했다. 지극히 위험하지만, 큰돈을 벌 수 있는 것. 바로 마약이었다.

그들은 우선 플로리다 휴양지의 한 자그마한 나이트클럽을 인수했다. 그리고 라스베이거스의 스트립 걸들을 끌어들였다. 쇼는 화려하고 선정적이었다. 소문이 삽시간에 퍼졌다. 단시간에 플로리다의 명소로 자리를 잡았다. 그러자 그 일대의 갱들이 몰려들었다.

블라디미르는 그곳에서 그레고리를 알게 되었다. 그레고리는 코스타리카 출신 자동차 딜러였다. 하지만 자동차만 파는 것이 아니었다. 그는 돈이 될만한 모든 것을 닥치는 대로 팔아치웠다. 한마디로 판매의 신이었다.

그는 콜롬비아의 마약 카르텔과도 깊은 관계를 맺고 있었다. 그레고리는 갱들이 요구하는 것이 무엇이든지 간에 상관없이 팔았다. 그중에는 고가의 초고속 모터보

트가 있다. 그는 중고보트를 헐값에 사들여, 고성능의 엔진을 부착하고 마약을 은닉하기 위한 비밀공간을 만든 뒤 비싼 값에 그들에게 되팔았다. 그는 단숨에 플로리다의 백만장자가 되었다. 그리고 그와 카르텔과의 관계는 이제 단순한 판매자와 고객을 넘어 동업자로 변해갔다.

이 시점에, 블라디미르와 그레고리의 만남은, 그들의 운명을 송두리째 바꾸어버리는 역사적인 사건으로 전개가 되기 시작했다.

우선, 그레고리는 잠수함이 필요했다. 갱들은 좀 더 은밀하게 마약을 미국으로 나르기 위한 운송장비가 필요했다. 잠수함이 안성맞춤이었다. 그는 러시아의 낡은 잠수함을 생각했다. 그레고리가 그의 생각을 블라디미르에게 털어놓자마자 블라디미르는, 그를 특전사로 보낸 전직 KGB 요원을 생각했다.

그들은 우선, 착수금으로 천만 달러의 현금을 갱들에게서 받았다. 그리고 KGB 인맥을 이용하여 부패한 러시아 관료를 구워삶기 시작했다.

그로부터 1년 뒤, 그들은 폐기 직전의 러시아 잠수함들을 싼값에 넘겨받았다. 그리고 미국 망명을 원하는 러시아인 선장, 선원, 기술자들을 모집했다.

어느 화창한 봄날, 1대의 핵잠수함과 2대의 구형 잠수함, 그리고 각종 군수물자와 러시아 선원들의 가족을 태운 여객선은 블라디보스토크항을 출발하였다. 그들은 콜롬비아에서 1년 정도 인수인계 작업을 한 다음 미국 플로리다로 비밀리에 입국하여 각자의 삶을 살기로 예정이 되어 있었다.

그들이 출발한 날짜는 2066년 6월 1일이었다. 그리고 그들이 태평양 한가운데를 유영하고 있는 사이 아마겟돈이 시작되었다. 블라디미르는 실시간으로 긴급 속보를 받고 있었다. 그리고 이미 그들의 도착지는 더 이상 살 수 없는 아비규환으로 변모한 영상을 생생히 지켜보고 있었다. 뭔가 결단을 내려야 할 시점이 왔다고 그는 느졌다.

 그는 각 책임자를 불러 모아 결론을 낼 때까지 기나긴 회의를 하기 시작했다. 그리고 마침내 태평양의 한 섬에 정박하여 사태의 추이를 지켜보는 것으로 결론을 내렸다. 그들은 폴리네시아로 향했다.

 그들은 비교적 폴리네시아에 가까운 위치에 있었으므로, 다른 배들에 비해 상대적으로 일찍 도착할 수 있었다. 그들이 도착하고 연이어 피난민을 태운 배들이 속속들이 들어오고 있었다.

 블라디미르 일행은 우선 폴리네시아 대통령을 만났다. 사실 어마어마한 군사 장비를 갖춘 상태이므로 진작에 그들의 입항 소식은 대통령의 귀에 들어간 상태였다.

 그레고리는 장사의 귀재답게 회유와 협박, 당근을 적절히 제시하기 시작했다. 그리고 사실상 그들이 회의를 진행하는 동안에 무차별적으로 배들이 들어오기 시작하면서 통제 불능 상태가 되어버렸다. 사실상 무정부 상태나 마찬가지였다.

이때를 틈타 블라디미르는 가장 경비가 삼엄한 대통령 궁을 접수했다. 실질적인 쿠데타였다. 그리고 발 빠르게 정계를 휘어잡기 시작했다. 우선 난민 중에 건장한 젊은 이를 뽑아 자체 군을 만들었다. 그들에게는 무엇보다 많은 혜택을 줌으로써 이 소식은 삽시간에 섬에 퍼졌다.

많은 지지 세력이 몰려들었다. 결국 블라디미르는 배들의 무덤이라고 일컬어지는 이곳의 실질적인 지도자가 되었다.

이후, 블라디미르의 힘, 토마스의 영리함 그리고 그레고리의 협상 능력은 아마겟돈 이후, 혼탁한 세상의 패권을 다투는 가장 두려운 존재로 발전하기 시작하였다.

8. 여친

정현이 블라디미르의 이야기를 이어가던 중, 황제는 오른손을 살짝 들어 그의 말을 멈추게 하였다.

"내 너의 이야기가 무척 흥미롭구나. 하지만 짐에게 졸음이 찾아왔구나, 너도 가서 쉬어야 할 것 같고…." 세빈은 이어 내시를 불러 그녀의 침상을 정돈하도록 명령했다. 아울러 정현은 그 자리를 물러났다.

정현은 복도를 걸어 숙소로 가면서 깊은 한숨을 쉬었다. 그리고 속에서 차오르는 기쁨을 만끽했다. 그는 자신이 살 수도 있다는 희망을 본 것이다. 숙소로 돌아가자 궁녀들이 정현의 짐을 싸고 있었다. 그에게 고대 유물 관리대장이라는 직책이 내려졌으므로 그에 합당한 숙소로 변경이 된 것이었다. 정현은 궁녀를 따라 자신의 새로운 거처로 이동했다. 그리고 자신의 품계에 어울리는 임명장, 의상과 사물, 문필과 하녀를 받았다. 그는 그 자리에서 황제의 침실 쪽으로 절을 올리고 임명장을 거두었다.

정현의 숙소는 이전보다 훨씬 크고 우아했다. 그리고 2명의 궁녀가 그의 시중을 들었다. 모든 정리 정돈이 끝나자 정현은 침상에 누워 긴 한숨을 쉬었다. 여전히 긴장을 늦출 수는 없지만, 현재로선 자신이 할 수 있는 최대치의 위안을 받았다는 것에 만족하였다. 그리고 눈을 감았다.

****

잠결에 들은 여인의 목소리에 그는 눈을 떴다. 어느새

궁녀가 그의 곁에서 무릎을 구부린 채, 손님이 왔음을 알렸다. 정현은 몸을 일으켜 정신을 차린 뒤, 방문객을 들라고 명했다.

개암이었다. 정현은 그를 보자마자 궁녀들은 물러가라고 명했다.

"감축드리옵니다. 정현 나리. 직책을 받으셨다고 들었습니다." 개암은 웃으며 정현에게 고개를 숙였다.

"네, 감사합니다. 나으리. 이 모든 게 나으리 때문이옵니다." 정현도 웃음으로 화답하며 고개를 숙였다.

"하지만 잘 아시다시피 황제의 변덕이 워낙 변화무쌍한지라 여전히 안심하셔서는 안 될 것으로 생각하옵니다." 개암은 정현에게 주의를 한번 환기해 주었다.

"네, 잘 알고 있습니다. 황제의 변덕은 이미 세상 사람들이 다 알고 있는 것, 제가 어찌 한순간이라도 긴장을 늦출 수 있겠사옵니까?" 정현은 결의에 찬 표정으로 개암을 쳐다봤다.

"네, 지당하십니다. 그건 그렇고, 나리는 어떻게 황제의 호기심을 잡을 수 있었나요? 도대체 무슨 이야기를 들려주었습니까?" 개암은 호기심 어린 눈초리로 정현에게 바싹 다가갔다.

"주로 고대인에 관한 이야기였습니다. 황제는 그들에 대한 지식에 목말라한다는 것을 뚜렷하게 목격할 수가 있었습니다. 제가 고대 유물 관리대장으로 임명된 것도 그러한 맥락에서였습니다."

"참으로 다행스러운 일입니다. 저는 정현 나리가 황제에게 호출받았을 때, 마치 살얼음을 걷는 심경이었습니다. 그런데 이렇게 직책까지 얻으셨으니 더할 나위 없이 좋습니다."

"네, 저로서는 천만다행인 셈입니다. 게다가 저는 고대어에 능하고 어릴 때부터 줄곧 그들의 이야기를 읽어온 바 황제의 관심을 놓치지 않고 붙들어 맬 가능성이 아주 크다고 생각하옵니다. 나리"

"네, 참으로 경사스러운 날입니다. 아울러 우리의 목적에 한 발짝 더 다가설 수 있는 절호의 기회이기도 합니다." 개암은 정현과 공유하고 있는 황제의 독살을 다시 한번 상기시켰다.

"네, 잊지 않고 있습니다. 이 땅의 고통받는 백성들을 위해서라도 저는 꼭 대의를 이룰 것입니다. 나으리"

"정말 고맙습니다." 개암은 눈물을 글썽이며 정현의 손을 굳게 잡았다.

****

개암이 돌아가고 난 뒤, 정현은 다시 침상에 누워, 오늘 밤 황제에게 들려줄 이야기를 속으로 찬찬히 정리하였다. 그리고 어떻게 황제를 죽일 수 있을까를 곰곰이 생각하였다. 음식에 독을 타거나 독이 든 음식을 권하는 방법은 아무래도 너무 위험하고 또, 세빈에게 들킬 가능성이 농후했다. 그보다 더 효과적인 방법을 찾는 게 급선무였다.

만약 세빈이 고대인의 마약에 중독이 된다면 더 손쉽게 그녀를 죽일 수 있을 것으로 정현은 생각했다. 왜냐하면 그가 본 책에서 고대인들의 사망원인 1위가 바로 마약이었다. 일단 황제가 중독만 된다면 치사량의 마약을 제공하는 일은 손쉬운 일이 될 것이다. 다만, 어떻게 황제를 중독시키는가가 문제였다. 마약이 국법으로 엄격히 금하고 있고 세빈 또한, 고대인의 약을 두려워하는 거로 봐서, 뭔가 기발한 방법이 아니면 황제에게 마약을 권하는 자체도 정현의 목숨이 위태로울 수 있었다.

결국, 정현이 그날 줄곧 생각하여 얻어낸 방법은, 자연스럽게 황제가 마약에 호기심을 느끼고 접할 수 있도록 유도하는 것뿐이라고 생각했다. 그러기 위해서는 그에 합당한 이야기를 들려주어야 할 터, 그는 자신이 접한 숱한 고대인의 이야기를 회상하며 그날 늦도록 머리를 굴리고 또 굴렸다.

그렇게 정현은 방에서 뒹굴며 이런저런 생각을 하다 그만 깜빡 잠이 들었다가 깨었는데, 밤늦게까지 황제의 호출이 없어 궁녀를 불러 사정을 조사하라고 일렀다. 궁녀가 가지고 온 소식은 정현을 기쁘게 하였다. 황제가 다른 남자를 잠자리에 불러들였다는 전갈이었다. 그는 다행스러운 기운으로, 상쾌하게 한숨을 쉬고는 속으로 생각을 하였다.

'오늘 밤은 모처럼 만에 편안하게 잘 수 있겠구먼…. 하지만 오늘 황제에게 끌려간 그 남자는 과연 내일 목숨을 부지할 수 있으려나?' 정현은 그 남자를 생각하니 왠지 쓸쓸한 마음이 다시 차올랐다.

'하루살이 인생들….' 정현은 자신뿐만 아니라 그들을 위해서라도 하루빨리 세빈을 죽여야겠다고 다짐하면서 다시 잠자리에 들었다.

****

아침 일찍, 황제의 전갈이 정현에게 도착했다. 하룻밤을 푹 잔 정현은 개운한 상태로 황제의 침소로 갔다. 정현이 세빈에게 도착하고 보니, 어젯밤을 같이 보낸 남자가 포승줄에 묶인 채 끌려가고 있었다. 그가 지금 겪는 고초가 정현에게는 익숙한 터, 그는 이심전심(以心傳心)으로 안타까움과 서글픔 그리고 명복(冥福)을 기원했다.

"그래, 오늘은 어떤 이야기를 준비하였는고?" 세빈은 정현이 앉자마자 조급하게 물었다.

"네, 황제 폐하, 지난번에는 이 땅의 시조이신 블라디미르가 어떻게 건달에서 시작하여, 아마겟돈을 피해, 소위 배들의 무덤이라고 일컬어지는 태평양 섬들을 접수하고, 훗날 <베네치아>라고 불리는 강국으로 갈 수 있는 기틀을 마련하는 대목까지 말씀드렸습니다."

"음, 그렇지, 아무튼 블라디미르는 운이 좋은 사람임에는 틀림없는 것 같구나."

"네, 그러하옵니다. 지난번에도 말씀드렸듯이, 그는 타고난 운과 함께 재능 있는 친구를 많이 두었는데, 그중에는 건국의 동반자인 토마스와 그레고리뿐만 아니라 오늘 말씀드릴, <제임스>를 만나게 됨은, 그야말로 블라디미르 왕국에는 축복과 같은 일이었습니다. 그로 말미암아 왕국의 기반이 굳건해지고 강성해져, 마침내 주변국들을 흡수하게 되고 태평양 제국으로 나아갈 수 있는 실마리를 마련하기에 이르렀으니, 어찌 블라디미르에게는 행운이라고 아니 할 수 있겠습니까?"

"음…. 너의 말을 듣고 보니 그 제임스라는 작자가 무척 궁금하구나." 세빈은 귀를 쫑긋 세우고는 정현의 이야기에 빠져들 준비를 하고 있었다.

"네, 그럼 거두절미하고 제임스에 관한 이야기를 지금

곧바로 들려드리겠나이다. 그리고 한가지 아셔야 할 부분은 제임스 또한, 블라디미르를 만나기 전까지는 초라하고 보잘것없는 샌님에 불과했다는 것입니다."

****

제임스는 기분이 좋았다.

나이 서른아홉에 비로소 여자친구를 만들었다. 비록 로봇이지만 그가 늘 꿈꾸던 이상형이다. 3차 세계대전 이전, 1968년 영화 <로미오와 줄리엣>에 출연한, 당시의 올리비아 핫세를 쏙 빼닮았다. 그는 요즈음 젊은이들이 선호하는 금발의 섹시 글래머 스타일을 좋아하지 않는다. 오히려 남자의 보호 본능을 자극하는 청순가련형 스타일에 푹 빠져있다. 긴 생머리와 우수에 찬 짙은 황갈색 눈을 사랑했다. 그는 그녀를 얻기 위해 10년 동안 돈을 모았다.

그는 가난했다.

그의 집안은 대대로 선생을 하였다. 그래서 늘 적은 급여를 받았다. 그는 싱글 침대와 화장실이 한 공간에 있는 13층 원룸 아파트에 살았다. 그는 돈을 아끼기 위해, 하루에 한 번, 샌드위치로 끼니를 때웠다. 그의 휴대폰은, 50년 전에 단종이 된, 낡은 애플 아이폰 34 프로였다. 이미 모든 모서리는 깨지고 액정화면은 금이 갔으며 6개의 부착 카메라는 제 기능을 상실한 지 오래였다. 그의 할아버지가 남긴 유일한 유산이었다.

9. 로봇

그는 집에 오면 늘 휴대전화기를 켜고, 지금은 역사 속으로 사라진, 유튜브의 2D 영상을 메타데이터에서 가져와 시청하곤 하였다. 그는 2,000년대 초반 음악을 즐겨 들었다. 지금은 아무도 관심을 가지지 않는, 팝과 하드락에 그는 묘한 매력을 느꼈다. 그는, 이제 전설이 된, <BTS> 노래 대부분을 따라 불렀고 <린킨 파크> 음악을 흥얼거렸다. 한마디로 그는 메타 시대를 살아가는 아날로그형 디지털 인간이었다.

그는 늘 외로웠다.

마지막 대 전쟁 발발 시기에 태어난 그는, 어린 시절 대부분을 외딴곳에 숨어 지냈다. 전쟁은 참혹했다. 도시 대부분은 파괴되었고 방사능에 오염되었다. 게다가 변종 바이러스 전염병이 창궐하여, 사람들은 모두 뿔뿔이 흩어져 고립 생활을 하였다. 그는 성인이 될 때까지 가족 외에 다른 사람을 구경할 수 없었다.

그가 다시 도시로 돌아왔을 때, 세상은 가진 자의 것이 되었다. 그리고 빈부의 격차는 나날이 커졌다. 소수의 부자는 대부분의 첨단 기술을 장악했다. 그들은 그것을 이용하여 막강한 부를 쌓았다. 그리고 곧 권력과 결탁하였다. 권력은 바로 욕망이었다.

그들은, 영장류의 진화에서 1,600만 년 동안 이어져 온 사회적 일부일처제를 법적으로 없애버렸다. 저명한 인류학자인 레반도프스키 박사의 저서 <영장류의 자유 연애론>이 빌미가 되었다. 그는 책에서 이렇게 주장하였나. '인간을 비롯한 모든 동물의 수컷에게 가장 좋은 전

략은 많은 암컷을 상대하는 것'이라고. 정치인과 통제된 언론은 자유연애의 당위성을 대중에게 설파했다.

결국, 일부다처 혹은 일처다부가 행정적으로 보호받는 시대가 열렸다. 그러자 결혼 쏠림 현상이 극단적으로 나타나기 시작했다. 돈 많고 잘 생기고 사회적 지위가 높은 남자들이 여자 대부분을 차지해버린 것이다. 당시 도시의 남녀 성 비율은 여성이 남성보다 약간 더 많은 수준이었으나, 결혼 적령기 미혼율은 남성이 압도적으로 많았다. 즉, 대부분의 가난한 남자들은 짝을 구할 수 없게 된 것이다. 그리고 그들은 사회 인력 구성원의 대다수를 차지했다.

한마디로, 성적 불만이 팽배한 사회로 변모한 것이다. 그러자 다양한 방법으로 부작용이 나타나기 시작했다. 매춘과 유사 성행위 업소가 폭발적으로 늘었다. 폭력도 늘고 마약, 알코올 소비도 증가했다. 동성애도 늘고 여자를 납치하는 사례도 번번이 일어났다. 자살률도 끝없이 올라갔다.

제임스가 사는 도시 외곽의 아파트 촌은, 주민 대부분이, 홀로 사는 남자였다. 그야말로 남자 마을이 된 것이다. 그리고 나날이 황폐해졌다.

하지만 인간은 늘 그렇듯이 방법을 찾아내곤 하였다. 필요는 발명의 어머니라고 하지 않았던가! 가난하고 외로운 늑대들을 위한 구원자가 나타난 것이다.

그의 이름은 일론 멜론.

그는 화성 테라포밍 프로젝트에서 AI 로봇 제작 기술자였다. 하지만 지나치게 외골수인데다 음주 문제로 동료들에게 따돌림당하다 결국 회사에서 쫓겨나고 말았다. 그러던 어느 날, 그는 변함없이 그날도 집에서 반주 삼아 위스키 석 잔을 비우고 3D 포르노 사이트를 기웃거리던 중, 광고 배너에 이끌려 자위기구 판매 사이트를 방문하였다. 그것이 그의 인생을 완전히 바꾸게 만든 순간이었다. 그는 그곳에서 남성 자위를 노와수는 인형을

본 것이다. 순간, 번뜩이는 아이디어가 그의 정수리를 때
렸다.

그해, 인간과 거의 비슷한 인형을 제작하는 일본의
<다나카 돌스> (Danaka Dolls) 함께 공동으로 <에로돌
스>(EroDolls)>를 창업한 그는, 이듬해 첫 AI 섹스 로
봇 <마리린 먼로 버전 1>을 출시하였다. 하지만 시장의
반응은 그다지 좋지 않았다. 피부 조직과 미모, 동작은
무척 자연스러웠으나, 여전히 인간보다는 인형에 가까웠
으며 지나치게 높은 가격이 문제였다.

하지만 사회적 불안에 대한 해결책을 찾던 소수의 권
력자에게는 충분한 매력으로 다가왔다. 그들은 섹스 로
봇을 국책산업으로 지정하고, <에로돌스>를 우선지원
업체로 선정하였다. 정부는 무엇보다 가장 먼저, 높은 가
격을 대폭 낮추기 위하여 공장을 개발도상국으로 이전하
는, 양국 간 경제 협력 컨소시엄 양해각서를 발 빠르게
추진하였다. 그리고 거의 완벽에 가까운 표정과 몸매를
만들기 위하여, 당시 최고의 기술을 자랑하던 대한민국

강남 일대 성형외과 의사들을 대거 스카우트하였다.

그렇게 하여 탄생한 <마라린 먼로 프리미엄 프로 버전 7.3>은 섹스 로봇의 전설이 되었다. 한 언론의 기사 제목이 모든 것을 설명했다.

<먼로의 재림>

****

제임스는 들뜬 마음을 누른 채, 플라잉택시를 타고 <에로돌스> 고객센터로 향했다. 평소에는 대중교통을 이용했지만, 그는 오늘만큼은 약간의 사치를 부리고 싶었다.

일주일간의 제품 사용 교육과 적응 단계를 모두 마친 그는, 드디어 그의 여자를 오늘 만나게 되는 것이다.

제품명 : <핫세 프리미엄 에로 버전 13.44F>

원산지 : Made in America

이미 7년 전에 출시되어 2번의 주인을 거친 중고제품이었다. 하지만 정비센터에서 무상 초기화 및 업그레이드가 잘 진행되었고, 무료 <안마 서비스> 모듈 및 최신 유행 신음까지 보너스로 탑재한 상태였다. 그의 재정적 능력으로는 더할 나위 없이 안성맞춤인 셈이었다.

다만 한 가지 아쉬운 점은 <Made in America>라는 것이다. 가장 인기 있는, 최고 품질의 섹스 로봇은 한국산이었다. 하지만 대부분 제임스가 감당할 수 없는 고가 제품이었다. 심지어 중고제품도 여전히 높은 가격으로 팔렸다. 그나마 차선책으로 선택할 수 있는 것은 중국산이었다. 한국산 대비 가격은, 삼 분의 일 정도였지만 품질면에서는 일반인들이 구분하지 못할 정도였다. 다만 중국 내 노총각 수가 급증함에 따라, 내수 시장의 수요도 감당할 수 없었다. 결국 중국 정부는 원천적으로 자국의 로봇 수출을 엄격하게 제한하고 말았다.

아메리카 제품은 한 때 최상의 품질로 인기를 누렸으나, 보안의 취약성이 드러나면서 급락하고 말았다. 즉, 수많은 제품이 불법 개조 및 복제가 되어 전 세계로 팔렸으며, 여러 가지 사건 사고가 발생하였다. 예를 들자면, 섹스 도중 주인의 성기를 입으로 절단하는 사고도 있었다.

하지만 제임스는 전혀 개의치 않았다. 거의 40년 세월을 고독한 싱글로 보낸 그로서는, 여인의 품속이라면 죽어도 좋다고 생각했다.

그는 후들거리는 다리를 겨우 옮기며, 안내에 따라 지정된 69번 만남 방으로 들어갔다. 이곳에서 2시간의 첫 만남을 보내고 나서, 최종 구매 계약서에 사인하고 나면, 그녀는 완전히 그의 것이 되는 것이다.

방은 작지만, 침대는 넓었다. 약간 어누운 붉은 조명

속에 로맨틱한 재즈 음악이 흘렀다. 그는 약간 엉거주춤
한 상태로 선 채 여자를 기다렸다. 그의 심장이 터질 듯
이 요동쳤다. 일 초 일 초가 영원히 멈추듯이 천천히 흘
렀다. 동시에 그의 속이 바짝바짝 타들어 갔다.

그는 탁자에 놓인 음료수를 병째로 벌컥벌컥 마셨다.
그가 병을 비우는 사이 그녀가 들어왔다. 진한 재스민
향이 좁은 공간을 금세 가득 채웠다. 그녀는 반투명의
실크 란제리 차림이었다. 그녀는 망설임 없이 그에게 사
뿐 사뿐히 다가와 익숙한 듯이 그에게 안겼다. 그리고
그가 말할 틈도 없이 그녀는 그의 입술에 자기 입술을
포개었다. 그녀는 탁월한 섹스 기계였다.

남자의 옷을 한풀 한풀 벗긴 뒤, 자연스러운 자세로
그를 침대에 눕혔다. 그리고는 자신이 왜 좋은 제품인지
를 마치 홍보라도 하듯이 아주 부드러운 손끝으로 그의
전신을 안마하기 시작했다. 그의 눈이 스르르 자동으로
감겼다.

제임스의 입에서는 삶의 희열이 터져 나왔다. 그의 모든 세포 하나하나가 기쁨을 노래했다. 지나간 모든 고통과 외로움이 한꺼번에 보상받는 느낌이었다. 그는 비로소 세상의 한 가운데, 주인공으로 우뚝 선, 자존감을 한껏 내뿜는 수컷 사자로 돌아왔다.

그는 이제, 그녀를 쓰러뜨리고 자기 성기를 그녀의 몸속으로 깊숙이 집어넣고 싶다는 강렬한 욕구를 느꼈다. 그런데 그 순간, 묵직한 압박감이 팔에서 느껴졌다. 그는 눈을 번쩍 떴다. 그리고 여자의 손에 쥐어진 주사기를 보았다. 그녀는 익숙한 듯 자신의 왼쪽 유방을 열어 투명 유리병 속에 담긴 액체를 주사기에 담고 있었다.

순간, 제임스의 입에서 욕지거리가 튀어나왔다.

"젠장!!!, made in America!!!"

그의 여자는 마약 로봇으로 개조된 복사품이었다.

10. 해커

제임스는 고민이 되었다. 자신의 로봇 여친을 리콜하게
되면 적어도 1년 이상을 더 기다려야 하고, 지금 데리고
가자니 이미 해킹당한 복제품을 안심하고 사용하기도 찜
찜하였다. 게다가 자신은 이미 로봇 여친의 이름도 지어
논 상태였다. <청순>

제임스는 결국, 반나절 동안 고민한 끝에, 그녀를 집으
로 데려왔다. 사실 마약 기능만 없애면 완벽한 여친이었
다. 그녀는 눈부시게 아름답고 청순하고 가련하여, 제임
스는 그녀를 볼 때마다 사랑에 빠지지 않을 수 없었다.

그래서 고민 끝에 여친을 수선해 줄 로봇 전문가를 찾기로 했다. 하지만 로봇 공식 수리 센터는 가격이 턱없이 비싸므로, 그는 뒷거래로 수선하는 불법 이민자를 수소문하였다.

한가지 다행인 것은, 제임스가 사는 동네는 대표적인 슬럼가로 불법 거주자들이 운영하는 수리소를 찾기가 어렵지 않다는 거였다. 그는 이웃들의 소개로 전직 해커 출신의 로봇 전문가를 만났다. 그곳은 낡아빠진 빌딩의 지하 8층이었는데, 제임스는 청순의 손을 꼭 잡고 엘리베이터로 내려간 다음, 녹슨 철로 된 문을 두드리니 중년의 여자가 고개만 빼꼼히 내밀고 주위를 한참 두리번거리더니 이윽고 조심스레 문을 열었다.

지하 방은 생각보다는 넓었으나 온갖 잡동사니가 빼곡히 쌓여 얼핏 보면 쓰레기 매립지 같은 느낌이었다. 제임스는 청순과 함께 그녀를 따라 조심스레 물건들을 피해 거실의 오른쪽 방으로 들어갔다. 그곳에는 천장에서부터 바닥까지 수십 개이 모니터가 일 수 없는 프로그래밍 코드를 토해내고 있었다. 중앙에는 메인 모니터가 설치되어 있었고 그 앞에는 어떤 노인이 앉아 무언가를 열심히 타자하고 있었다.

중년의 여인이 방을 나가고 난 뒤에도 그 노인은 한참 동안을 모니터에 시선을 고정한 채 말없이 타자만 하였다. 제임스와 그의 여친, 청순은 어쩔 수 없이 멍하니 기다릴 수밖에 없었다. 이윽고 노인이 뭔가를 마무리 지었는지, 기지개를 한번 켜고는 의자를 돌려 제임스와 청순을 번갈아 보았다.

"버전이 어떻게 된다고?" 노인은 인사도 없이 다짜고짜 물었다.

"핫세 프리미엄 에로 버전 13.44F입니다." 청순이 매혹적인 목소리로 대답했다.

"옛날 거구먼…. 해킹 당할 만하네..." 노인은 아무런 감정도 실리지 않은 쉰 목소리로 중얼거리듯 말을 하고는 청순에게로 성큼성큼 다가가더니 그녀의 배꼽에 있는 파워 스위치를 껐다. 그러자 청순은 굿바이 인사를 제임스에게 하며 조용히 눈을 감고 쓰러졌다.

노인은 쓰러진 청순의 엉덩이를 까더니 항문에다 젓가락같이 생긴 것을 깊숙이 꽂았다. 그리고는 자신의 책상으로 돌아가 화면을 보면서 키보드를 부지런히 두드렸다. 모니터에는 알 수 없는 기호와 그림들이 빠른 속도로 지나갔다. 그러기를 10여 분쯤 하더니 노인은 이윽고 손을 멈춘 채 모니터를 지켜보다가 돌아서서 제임스에게 말했다.

"제대로 걸렸구먼…. <아랑가스>라고 악명높은 해커집단이야…. 시간이 오래 걸리겠는데…. 이거 다 풀려면…." 노인은 고개를 절레절레 흔들며 측은한 표정으로 제임스를 쳐다봤다.

"얼마나?"

"적어도 한 달이야. 된다는 보장도 없고…. 아무래도 어렵겠는데…. 이거…." 노인의 말에 제임스는 끝없이 높은 곳에서 장려하게 추락하는 고통이 느껴졌다.

'사랑하는 여인을 만나기가 이렇게 어렵다니!' 제임스는 절망적인 상태가 되어 노인을 간절한 눈으로 바라봤다.

"꼭 좀 고쳐주시기를 바랍니다. 제 평생 단 하나의 여인입니다."

"수리비도 많이 들거 같은데…. 돈은 좀 있는가?" 노인도 안타까운 표정으로 그를 쳐다봤다.

"지금 당장 가진 것은 별로 없지만, 다달이 꾸준히 갚도록 하겠습니다. 얼마가 되든지 간에…." 제임스는 손을 모은 채 한없이 처량한 표정을 지었다.

"자네 직업이 뭔가?" 노인이 떨떠름한 표정으로 물었

다.

"선생입니다." 노인의 표정이 더욱 어두워졌다. 그는 고개를 절레절레 흔들기 시작했다.

"과목이 뭔가?"

"수학과 프로그래밍 언어입니다." 이 말을 들은 노인은 조금 전의 부정적인 태도에서 돌변하여 갑자기 밝은 얼굴이 되었다.

"그것참 잘 되었군. 이 나라 선생들 박봉에 시달리는 것은 세상천지가 다 알고 있는 사실이니, 선생질 때려치우고 자네. 내 밑에서 해킹 배우지 않겠나?"

"해킹을요?"

"그래! 해킹. 자네가 선생질해서 받는 봉급… 한 두시간만 여기에 투자하며 그 돈 벌 수 있을 길세" 노인은 당당한 표정으로 제임스를 설득했다.

"그래도 위험하지 않을까요?" 제임스는 망설이기 시작했다. 왜냐하면 그는 그동안 한마디로 바른 생활의 사나이였다. 불법 근처에도 가 본 적이 없는 그였다.

"그래? 그럼 쭉 그렇게 살던가…. 평생 애인 하나 없이, 적게 먹고 가는 똥 싸면서 살아 보던가…." 노인은 제임스를 대놓고 조롱하였다.

"그러면 혹시 제 여인의 수리는 어떻게?"

"그거야 당연히 공짜지! 게다가 자네는 수학과 프로그래밍 언어 기본은 다 갖추어놓은 상태이니까 내가 시킨 데로만 하면 얼마 지나지 않아 자네 여인의 수리는 자네가 직접 할 수 있을 거야! 암, 암."

사랑하는 내 여자 <청순>의 수리를 자신이 직접 할 수 있다는 얘기를 듣는 순간, 제임스는 단박에 결심하였다.

'그래! 내 여자는 내가 직접 고친다!'

제임스는 다음날부터 노인의 집에 동거하며 해킹을 본격적으로 배우기 시작했다. 노인의 이름은 <매튜>였다. 그는 아마겟돈 이전에 이미 유명한 해커였다. 하지만 그가 속한 해커 단체인 <사피엔티아>가 저항 세력의 중심 브레인 역할을 하면서, 그는 이름을 숨긴 채, 줄곧 도망자 신세로 은둔 생활을 할 수밖에 없었다.

제임스가 매튜와 동거한 지 일 년쯤 후, 어느덧 상당한 실력자가 된 제임스는 청순의 모든 소프트웨어를 업그레이드하여 최고의 여자 친구로 그녀는 재탄생하였다. 제임스는 이제 완벽한 애인이 생긴 것뿐만 아니라 해킹이라는 세상을 통해 자신이 미처 눈치채지 못한 중요한 사실 하나를 인지하기에 이르렀다.

그는 타고난 해커였다. 그의 실력은 나날이 일취월장

(日就月將)하여 자신뿐만 아니라 매튜도 한 번씩 놀라게 했다. 하지만 그의 실력이 느는 만큼 위험은 더욱 커졌다. 가뜩이나 매튜는 이 땅의 일급 수배자였다. 그런 그의 옆에 있다는 사실만으로도 제임스는 시한폭탄을 안고 사는 거나 마찬가지였다.

사실 매튜는 자기 해커 비밀 단체인 <사피엔티아>를 통해 시시각각으로, 자신을 체포하려는 비밀경찰들의 정보를 받고 있었다. 그래서 그는 언제 어디서나 떠날 만반의 준비를 하고 있었다. 그리고 그날이 닥치고 말았다. 제임스에게도 선택의 여지가 없었다. 이미 그의 이름도 이 땅의 요주의 대상이었다.

칠흑같이 어두운 어느 날 밤, 제임스와 청순, 매튜는 최소한의 장비만 챙긴 채, 몰래 집을 빠져나와 승용차를 타고 항구로 갔다. 그리고 배에 올라탔다. 매튜의 사피엔티아 형제들이 이미 밀항을 준비해 두었다. 그들은 배의 지하에 있는 짐칸에 마련된 좁은 공간에 몸을 숨겼다. 그리고 긴 항해를 시작했다.

한 달간의 기나긴 여정 끝에 마침내 그들은 폴리네시아에 있는 소위, <배들의 무덤>에 도착했다. 한편 이곳의 지도자가 된 블라디미르는 국호를 <베네치아>로 정하고 공표하였다. 이탈리아의 베네치아에 비하면 더럽고 무질서하기 짝이 없지만, 대륙 대부분 도시가 폐허가 된 이상 새로운 베네치아는 생존자들의 떠오르는 희망이었다.

제임스와 매튜도 이곳에 도착하자마자 새로운 일자리를 찾으려고 노력했다. 하지만 피난민들이 배로 만든 도시다 보니, 마치 중세시대로 돌아간 듯, 겨우 전기 정도만 공급될 뿐 모든 게 부족하고 낙후되었다. 그러니 컴퓨터나 전산 시스템 같은 고급 기술이 쓰일 곳이 없었다. 그나마 다행인 게, 청순이 제대로 작동하는데 필요한 전기는 얻을 수 있다는 거였다. 결국 제임스와 매튜도 하루하루 노동으로 입에 풀칠하며 살 수밖에 없었다. 게다가 메튜는 고령이다 보니 나날이 몸이 쇠약해져 결국 몸져눕더니 며칠을 버티지 못하고 사망하였다.

다시 혼자가 된 제임스는 어느 날, 좁고 구불구불한 길을 걷다가 우연히 벽보를 바라봤다. 베네치아 왕국의 궁전에서 근무할 전산 특기자를 모집하는 내용이었다. 제임스는 그 길로 곧바로 궁전으로 가서 그의 탁월한 해킹 실력을 선보였다. 면접 위원들은 그 즉시 그를 베네치아 왕국 IT 장관으로 임명하고 국가 전산 시스템 복구를 그에게 맡겼다.

제임스의 노력으로 태평양에 뿔뿔이 흩어져 있던 대부분 섬이 하나의 네트워크로 뭉치기 시작했다. 그리하여 블라디미르의 베네치아 왕국은 바야흐로 현대적인 국가로 탈바꿈하고 있었다.

11. 벨라

정현이 제임스의 이야기를 마무리할 때쯤, 상선(尚膳)이 들어와 아침 정례 조회를 알렸다. 모든 대신이 내전에 모였으며, 회의 안건 또한 준비를 마친 상태였다. 황제는 어쩔 수 없이 정현을 물러가라고 명한 뒤, 화려한 곤룡포로 갈아입고 내전으로 향했다.

황제에게서 풀려난 정현은 숙소에 오자마자 곧바로 외출복으로 갈아입고 보관국으로 향했다. 황제를 죽이려면 그녀의 두터운 신임이 필수적으로 요구되는바, 정현은 세빈을 혹하게 할만한 고대인의 물건이 도움이 될 것으로 확신하였다.

보관국은 궁궐에서 걸어서 한 시간쯤 떨어진 곳에 있었다. 정현의 신분상, 가마를 충분히 탈 수 있는 자격은 되나, 그는 일부러 걸어서 그곳으로 갔다. 그는 고대인의 책에서 남자의 정력은 허벅지 근육의 굵기와 비례한다는 사실을 읽은 적이 있었다. 지금은 비록 황제가 자신을 성 노리개에서 놓아준 상황이지만, 그녀의 성격상 언제 또 어떻게 그를 요구할지 알 수 없는 상황이므로 항상 대비해 두는 것이 신상에 이롭다고 정현은 생각했다.

보관국 정문에 이르러 정현이 자신의 호패와 신임 임명장을 보여주자 관리 책임자가 헐레벌떡 뛰쳐나와 정현을 공손한 태도로 모셨다. 보관국은 예전에 무기 창고로 쓰던 것을 개조하여 만든 것으로, 전국에 걸쳐 고대인의 유물이 심심찮게 발견이 되었으므로, 시설의 확충이 계속되어 지금은 그 크기가 실로 어마어마했다.

정현이 보관국에 들어서자, 그가 어릴 때 아버지의 손

을 잡고 이곳을 구경하던 추억이 떠올라 괜스레 마음이 울컥하였다. 고대인의 책에 무척 관심이 많았던 정현의 아버지는 틈만 나면 이곳에 들러 새로 발굴한 책을 살펴보고 그 용도와 내용을 자신의 일기에 기록하곤 하였다. 그때, 정현의 눈에 뵈진 아버지의 모습은, 마치 생일을 맞은 어린이가 선물 포장을 뜯는 순간에 내비치는 들뜬 표정과 흡사하였다. 잇속을 생각하지 않는 순수한 호기심 그 자체였다.

하지만 지금 정현이 이곳을 찾은 연유는 오로지 세빈의 환심을 사기 위한 목적이었으므로, 정현이 아무리 거부하고 싶어도 어쩔 수 없이 쓸쓸해지는 것은 막을 수 없었다. 정현은 무거운 마음을 안고, 우선 보관국 전체를 둘러보았다. 그에게도 오랜만에 방문하는 거라 그런지 더 넓어지고 더 많아진 보관대에 진열된 유물들이 생소함으로 다가오는 것이 태반이었다. 게다가 아직 유물의 용도를 밝히지 못해 분류되어 있지 않은 것들이, 새로 지은 보관대에 꼴사나운 모습으로 진열되어 있어 정현에게는 물건의 쓰임새를 가늠하기가 그리 쉽지는 않았다.

그는 하는 수 없이 유물 대장을 갖고 와 자신이 먼저 관심을 가질 만한 것을 추려보고 그 내용을 직접 확인하는 식으로 일을 진행하였다. 정현이 물건을 선별하는 기준에는 무엇보다 황제가 여자라는 사실에 중점을 두었다. 즉, 고대인의 여인들이 즐겨 하던 것들을 뽑아 세빈에게 진상하는 것이 여러모로 안전한 방법이라고 여긴 것이다. 정현은 거의 반나절을 보관대 구석구석을 돌며 몇 가지 품목을 들것에 담아 숙소로 향했다. 그중에는 자신이 황제와의 잠자리에서 사용했던 파란 약도 챙겨왔다. 비아그람이라고 불리는 이 약이 분류되지 않은 유물 보관대에서 발견하였을 때 정현은 뛸 듯이 기뻤다. 게다가 이 약의 효능을 전혀 눈치채지 못한 보관국 직원들은, 정현이 몽땅 가져가는 것에 오히려 홀가분한 표정으로 그를 도와주기까지 하였다. 정현은 속으로 이런 생각을 했다.

'아마 이 땅에서 이 약의 진실을 알고 직접 체험까지 해 본 사람은 나밖에 없을 거야'

정현은 이제 든든한 지원군까지 있으니 황제의 호출이
더 이상 두렵지 않았다. 그가 챙겨 온 파란 약이 얼추
세어도 100알은 되어 보였다. 게다가 황제를 구워삶을
품목들도 챙겨 왔으니 이제는 어느 정도 황제의 호출을
기다려보는 마음도 들곤 하였다. 그렇게 기분 좋게 정현
이 숙소에 도착하고 보니, 그를 기쁘게 하는 또 하나의
선물이 그를 기다리고 있었다.

웬 아리따운 궁녀가 그를 반기고 있었다. 그녀는 정현
을 멀리서 보자마자 버선발로 뛰쳐나와 그 자리에서 큰
절을 그에게 하였다. 급작스러운 여인의 행동에 정현은
무척이나 당황스러웠다. 하지만 그녀는 아랑곳하지 않고
고혹적인 미소를 띤 채, 정현에게 다가와 자신을 소개했
다.

"저는 벨라라고 하옵니다. 나으리." 여전히 어리벙벙한
상태였던 정현은 그녀의 옷차림을 훑어보며 따지듯이 물
었다.

"내 보아하니 너는 궁녀가 틀림없는데, 어찌하여 자신의 책무는 성실히 수행하지 않고 여기까지 와서 나에게 반가운 척을 하는 것이냐?" 그 말을 듣고도 그녀는 눈하나 깜짝하지 않고 오히려 더 환한 미소와 친근한 자태를 선보이며 정현에게 대답했다.

"네, 나리가 보신 대로 저는 궁녀가 틀림없사옵니다. 그리고 저의 책무는 오늘부로 정현 나리를 몸과 마음을 다 바쳐 성심성의껏 모시는 것이옵니다. 이점 널리 받아들이시기를 비옵니다." 그러면서 그녀는 자신의 품에서 문서 한 장을 꺼내 정현에게 내보였다. 그 문서를 정현이 살펴보니 내시부(內侍府)의 직인이 선명하고 상선(尙膳)인 개암의 이름이 말미에 적혀 있었다. 정현이 추측건대, 개암이 일부러 정현을 위해 미색이 고운 여인을 선물로 보낸 것으로 보았다. 이에 마음이 누그러진 정현은 찬찬히 그녀를 살펴보았다.

벨라는 크지도 작지도 않은 키에, 비록 평범한 의상에

가려졌다고는 하나, 이 땅의 여인치고는 꽤 볼륨있는 몸매를 가늠할 수 있었다. 게다가 피부색이 밝고 이마는 넓고 시원하게, 코는 오똑하고 콧대도 곧으며 눈은 외꺼풀이나 밤하늘의 암흑 물질만큼이나 까맣고 초롱초롱하였으며, 얇은 윗입술과 도톰한 아랫입술이 곧고 하얀 이빨을 살짝 나타내니, 그야말로 탐스럽기 그지없는 여인이었다. 정현은 이에 개암에게 깊은 감사를 속으로 외치며 그녀를 대동하여 방으로 들어왔다.

벨라 또한 정현의 수려한 외모와 선한 미소에, 보자마자 어지간히 반한 상태였으므로 자신을 추천해준 개암 어른에게 내심 고마움을 표했다. 개암 입장에서도 사실 그럴만한 이유가 있었다. 우선은 정현에게 순수한 감사 표시도 있거니와 제법 높은 직책을 수행하는 정현의 환심을 사기 위한 술책과 함께, 자기 눈과 귀가 되어줄 첩자를 심어 놓은 것이었다. 황제를 죽이는 일은 매 순간순간이 살얼음을 걷는 위태롭기 짝이 없는 일이므로, 매사에 모든 정황과 정보를 꿰고 있어야만 그나마 성공 확률이 높아지는 법. 개암은 비록 정현을 의심하지는 않으나 돌다리로 두드려서 간다는 심정으로 벨라를 심어 놓은 거였다.

정현은 방에 들자마자 보관국에서 가져온 물건들을 조심스레 분류하여 다른 사람의 눈에 띄지 않도록, 작은 것들은 개인 보관함에, 큰 것들은 손수 개인 창고에 두었다. 이 광경을 옆에서 지켜보던 벨라는 궁금함을 느끼지 않을 수 없었는데, 결국 정현이 앉자마자 살포시 그의 품에 가까이 다가와 비음을 섞어가며 속삭였다.

"나리 지금 이것들은 무엇에 쓰는 물건인가요?" 벨라의 애교 섞인 물음에 정현은 총각으로서 당연히 느낄 수밖에 없는 흥분을 애써 감추며 조용히 그녀의 귀에 대고 속삭였다.

"이 물건들에 대하여 일절 발설하지 않겠다고 약조하겠느냐?" 이 말을 들은 벨라는 자신의 입체감 있는 몸매를 찰싹 정현에게 붙이고는 눈을 동그랗게 뜬 채 말 없이 고개를 까닥거렸다. 그러자 정현은 오랜만에 온몸이 후끈 달아오르고 심장이 야생마처럼 뛰기 시작하니 벨라에 대한 주체할 수 없는 끌림을 억지로 참아가며 겨우 말을 이어갔다.

"너는 고대인에 대하여 들어 보았느냐?" 벨라는 이제 정현을 살포시 안고는 정현의 귀에 자기 입술을 바싹대고, 마치 사랑 고백이라도 하는 듯이 감정을 넣어 정현에게 속삭였다.

"소인 비록 궁녀이나, 소녀의 어릴 적 삶은, 남부럽지 않을 만큼 잘나가는 중인의 가문으로, 꽤 큰 무역상으로 이름을 알렸사옵니다. 그러니 소녀는 당연하게도 외국에서 들여온 갖가지 물건에 익숙하였고 고대인의 유물 또한 심심찮게 접할 수 있었사옵니다." 이 말을 들은 정현은 벨라의 이전 삶이 궁금해지기 시작했다.

"너는 그럼 어쩌다가 궁녀가 되었느냐?" 이 말은 들은 벨라는 갑자기 긴 한숨을 푹 쉬며 마치 구들장이 내려앉을 듯한 어두운 표정으로 정현을 쳐디봤다. 이에 성현은 필시 깊은 사연이 있을 것으로 판단하고 벨라를 좀 더 다그치기 시작했다.

"어서 털어놓아 보거라. 내 너의 얼굴에 쓰인 깊은 슬픔이 마치 나를 보는 것 같아 꼭 너의 이야기를 듣고자 함이다." 이에 벨라는 눈을 동그랗게 뜨고는 정현을 쳐다보며 물었다.

"그럼 나리도?"

"그래 나의 집안도 억울한 사연에 의하여 몰락한 가문이란다."

12. 지돈

"정현 나으리, 혹시 지하 도시 <아틀란티스>를 아시는지요?" 벨라의 물음에 정현은 생각할 틈도 없이 곧바로 대답했다.

"알다마다 뿐이겠느냐. 릴리안 나리님의 역사책 <아포칼립스>에 의하면, 아마겟돈 이후, 생존자의 일부는 지하, 하늘, 섬, 남극으로 흩어져 각자의 문명을 이루고 살다가 이 중 남극 빙하 왕국의 <프라이드>님은 이 땅의 남쪽 절반을, 태평양 섬 제국 <베네치아>의 블라디미르님은 이 땅의 북쪽 절반을 결국 차지하여 시조기 되셨고, 하늘의 태양계 식민지를 개척한 고대인들은 그들이 스스로 만든 인공지능에 의하여 멸망하였으나, 땅속으로 내려간 이들은 지하 5개 강을 끼고 탄생한 9개국을 건설하여, 건국의 어머니로 알려진 분들의 노력으로 완전한 민주 공화국을 완성하고 찬란한 문명을 꽃피우고 있다고 하니, 고대인의 진정한 후손은 지하인 뿐이라고 적혀있었다." 정현은 오래간만에 자신의 지식을 벨라에게 맘껏 뽐냈다. 이에 벨라는 놀라움을 감추지 못하며 더욱 사랑스러운 눈길로 정현을 쳐다보며 말했다.

"네, 그러하옵니다. 나으리. 저의 어머니는 바로 그 아틀란티스 출신이옵니다." 이 말에 정현을 화들짝 놀랄 수밖에 없었다.

"아니, 어떻게 지하인이 지상으로 올라 올 수가 있단 말이냐?" 정현의 놀란 표정이 보기 좋았는지 벨라는 정현의 볼에 입맞춤하며 나지막이 자신이 이 땅에 존재하게 된 경위를 들려주었다.

****

벨라의 아버지 <지돈>은 탁월한 무역상이었다. 그는 이 땅의 지주나 갑부, 고급 관료들을 주 고객으로 삼고 귀하고 신기한 물건들을 비밀리에 거래하였다. 처음에는 외국 물건이나 고대인의 유물을 주로 취급하였지만, 그러한 물건들을 취급하는 이들이 늘어나면서 경쟁은 치열해지고 납품 단가는 턱없이 싸져서 더 이상 재미를 보기는 힘든 상황이 되었다. 그래서 그는 새로운 루터를 개척하기 시작했다. 소문으로만 전해오는 지하인에 관한 거였다.

이 땅은 과학과 문명의 발전을 국법으로 엄격히 제한하고 있지만 지하 세계는 과거 고대인의 뛰어난 기술을 고대로 전수하여 발전시켜 그 찬란한 문명의 꽃을 피우고 있다는 이야기를 들은 바 있는 지돈은, 손수 지하 도시로 가는 방법을 개척하기로 마음을 먹었다. 그는 우선, 풍문으로 떠도는 지하 세상에 관한 이야기를 닥치는 대로 모았다. 그중에는 전설, 우화, 풍지, 낭설, 가싸와 진

짜가 마구 섞인 이야기가 태반이었으므로 그는 신중하게 그 사실 여부를 따질 수 있는 고대인의 책을 수집하기에 이르렀다.

그 책 중에 그의 관심을 끄는 어떤 이야기를 발견하고는 그것의 진실을 파헤치기로 결심하였다. 그 내용은 이러하였다.

사람의 손길이 거의 닿지 않는 험난한 화산 지대에 사는 소수 민족이 있었다. 그들이 사는 세상은 워낙 험준한 지형에다 중심에는 활화산이 자리 잡고 있었기에 외부 세계와 완전히 단절된 채 그들만의 독특한 고유문화와 풍습을 지니고 있었다. 그러한 풍습 중 하나가 외부 손님에 대한 대접이었다. 어쩌다 우연히 그 마을을 접한 방문객은 우선 융숭한 대접을 받았다. 그리고 밤이 되면 그 동네 가임 여성들이 돌아가며 매일 그와 잠자리를 갖는다는 거였다.

이 부분에 대해서, 지돈은 어느 정도 그 민족의 풍습

을 수긍할 수 있었다. 왜냐하면 자신이 예전에 전해 들은 이야기로, 어떤 고립된 마을이 있는데 그곳에는 수백 년간 근친결혼을 하다 보니 주민 절반이 바보로 살아간다는 거였다. 즉, 근친 번식으로 발생하는 유전적 결함을 막기 위한 어쩔 수 없는 조치가 풍습으로 발전한 거였다.

그런데 그들의 또 다른 특이한 풍습이 지돈의 시선을 끌었다. 매년 봄과 가을, 보름이 되면 활화산 근처 지하 동굴에 아직 생리를 시작하지 않은 처녀를 산 제물로 바쳤다. 그들의 전설에 의하면 활화산에는 남자 산신령이 사는데 처녀를 바치지 않으면 분노하여 화산을 분출한다는 거였다. 그런데 신기한 것은, 처녀를 바치고 나서 일주일 뒤 동굴에 다시 가보면, 그녀가 어린 아기로 변하여 강보에 싸인 채 누워 있다는 거였다.

지돈은 이 이야기를 읽는 순간, 무릎을 딱 쳤다. 틀림없이 처녀를 아기로 바꿔치기한 것은 지하인의 소행일 것으로 판단하였다. 지하인 또한 고립되이 근친의 굴레에서 벗어날 수 없으므로 이런 식으로 지상의 사람들과 교류함으로써 서로에게 부족한 부분을 보충한다고 지돈은 굳게 믿었다.

그리하여 지돈은 그 지하 동굴로 가기 위하여 건장하고 모험을 두려워하지 않는 사람을 비밀리에 모집하였다. 왜냐하면 지하인과의 교류는 나라에서 엄격하게 금하고 있기 때문이었다. 대략 한 달 뒤, 지돈 일행은 필요한 장비를 모두 갖춘 채, 소수 민족이 사는 곳으로 출발했다. 그들이 사는 곳은 지도에서 명확하게 나와 있지 않았을 뿐만 아니라 사막과 높은 산을 지나야 하였기 때문에, 지돈은 지나가는 마을마다 일일이 물어가며 겨우겨우 그곳에 도착할 수 있었다. 집을 나선 지 거의 한 달이 다 된 시점이었다.

지돈 일행이 마을에 도착하여 하늘을 보니 과연 책에 적힌 그대로, 삭막하기 그지없는 활화산에서 뿜어내는 열기로 인하여, 짙은 회색 구름이 산 정상을 두텁게 둘러싸고 있었다. 마을 주민들이 두려워할 수밖에 없는 광경이었다. 그리고 지돈이 책에서 읽은 그대로, 마을 주민들은 지돈 일행을 쌍수를 들어 반기고, 오랜 여행으로 수척해진 일행들을 위하여 산해진미를 대접하고 오랫동안 묵어갈 것을 권하였다. 오랜만에 따뜻한 이웃에 둘러싸인 지돈 일행은 편안하게 휴식을 취하고, 동네 처녀들의 극진한 보살핌을 받으며 모처럼 만에 즐거운 며칠을 보냈다. 하지만 지돈의 목적은 어디까지나 지하인을 만나기 위한 루터를 개척하는 것.

그는 마음을 다잡고, 길에 밝은 한 청년을 설득하여, 이른 아침 지하 동굴로 향했다. 두 시간 정도를 높고 험준한 지형을 오르자 마치 악마가 검은 입을 떡 벌리고 있는 형국의 동굴과 마주쳤다. 그는 가이드로 온 청년을 돌려보내고 동굴 안팎을 샅샅이 뒤졌다. 지하인이 이 동굴을 정기적으로 다녀간다면 틀림없이 내려가는 길과 올라오는 길이 있을 터였다. 하지만 주변에는 길이 될만한 단서를 찾지 못하였다. 할 수 없이 지돈 일행은 휴대용 호롱불을 각자 들고 천천히 동굴로 들어갔다. 불빛에 놀란 동굴 박쥐들이 퍼덕거리며 이상한 소리를 냈다. 지돈을 선두로 한 일행은 점점 좁아지는 동굴로 깊이 내려가기 시작했다.

마침내 성인 한 사람이 누워서 겨우 들어갈 정도로 낮은 곳까지 도착한 일행은 더 이상 내려가는 것을 주저할 수밖에 없는 상황에 봉착했다. 아무도 선뜻 나서서 내려가려고 하지 않았다. 하는 수 없이 지돈은 중대한 결정을 내렸다. 자신이 직접 혼자 내려가겠다는 거였다.

그는 동아줄을 몸에 묶고 천천히 기다시피 하면서 좁은 동굴 속으로 점점 내려갔다. 한 손으로는 휴대용 호롱불이 꺼지지 않도록 보호하면서 그는 마지막 힘을 다해 그 좁은 구멍을 30분가량 기어갔다. 그러자 어디선가 물 흐르는 소리가 들려왔다. 그는 그 소리 나는 쪽으로 방향을 틀어 안간힘을 쓰며 전진했다. 그리고 마침내 폭포수처럼 물이 흘러 내리는 공간에 다다랐다. 물은 뻥 뚫린 심연 속으로 가파른 경사로 흘러내렸다.

지돈은 그곳에 서서 한참을 고민했다. 만약 이 수로의

끝에 지하 도시가 있다면 당연히 그는 살 수 있을 것이다. 하지만 그저 물웅덩이뿐이라면 다시 위로 올라오기는 불가능해 보였다. 즉, 그의 판단에 따라 그는 생과 사의 갈림길에 서 있는 것이다.

마침내 그는 굳은 결심을 하고 몸을 묶은 동아줄을 풀었다. 그리고 세찬 물줄기 속으로 그의 몸을 맡겼다. 그는 어둠 속에서 그를 휘감는 물에서 얕은 숨을 겨우겨우 쉬어가며 어마어마한 속도로 떨어졌다. 그렇게 한동안 허우적거리며 떨어진 그는 마침내 심연의 구멍이 차츰차츰 밝아짐을 느꼈다. 그리고 깊은 물 속으로 깊이 곤두박질쳤다.

그는 물속에서 수면 위를 비추는 빛을 응시하며 힘차게 손과 발을 저어가며 수면 위로 올라왔다. 그리고 가쁜 숨을 쉬며 주위를 살펴봤다. 웅덩이 주위로 둘러싼 천장에는 밝은 빛을 내는 전등이 여러 개 꽂혀있었다. 그는 수영하여 뭍으로 나와 다시 사방을 둘러봤다. 틀림없이 사람이 만든 게 틀림없는 벽이 있고 그 중간에

문이 있었다. 그는 서둘러 문으로 갔다. 그리고 문에 난 창을 통하여 외부를 살폈다. 그곳에는 제복을 입은 사람들 몇 명이 둘러앉아 뭔가 이야기를 나누는 듯이 보였다. 그는 문을 두드리며 그들을 불러 보았다. 하지만 자기 말은 요란한 물소리 때문에 들리지 않았다. 그러다 문득 문의 중앙에 난 빨간 버튼을 발견했다. 그는 그 버튼을 힘껏 눌렀다. 그러자 자동으로 문이 스르륵 열렸다.

문밖에서 대화를 하던 사람들이 그가 나타나자 당혹감을 멈추지 못하고 얼어버렸다.

지돈은 웃으며 그들에게 다가가 말했다.

"저를 좀 도와주시오. 지상에서 왔소이다." 하지만 그들은 지돈의 말을 알아듣지 못했다.

- 2권 <정현의 여자>에서 계속 -